国家社会科学基金“十三五”规划2018年度教育学重大招标课题
“建设教育强国的国际经验与中国路径研究”阶段性研究成果

全球教育治理研究系列

印度教育治理研究

A Study of Education Governance in India

主 编 周洪宇 副主编 王建梁

王建梁 著

长江出版传媒 | 湖北教育出版社

(鄂)新登字 02 号

图书在版编目(CIP)数据

印度教育治理研究/王建梁著.
—武汉:湖北教育出版社,2020.6
(全球教育治理研究系列)

ISBN 978-7-5564-2936-3

Ⅰ.①印…
Ⅱ.①王…
Ⅲ.①教育管理-研究-印度
Ⅳ.①G535.16

中国版本图书馆 CIP 数据核字(2020)第 049806 号

印度教育治理研究 YINDU JIAOYU ZHILI YANJIU

出品人	方　平	策　划	刘　艺
责任编辑	查　丹	责任校对	王艳波
封面设计	牛　红　何亦明	责任督印	张遇春

出版发行	长江出版传媒	430070　武汉市雄楚大道 268 号
	湖北教育出版社	430070　武汉市雄楚大道 268 号
经　销	新　华　书　店	
网　址	http://www.hbedup.com	
印　刷	湖北恒泰印务有限公司	
地　址	武汉市江夏庙山开发区汤逊湖工业园	
开　本	710mm×1000mm　1/16	
印　张	13.25	
字　数	186 千字	
版　次	2020 年 6 月第 1 版	
印　次	2020 年 6 月第 1 次印刷	
书　号	ISBN 978-7-5564-2936-3	
定　价	60.00 元	

总 序

站在人类历史拐点探求全球教育治理之道

当我们把目光做一个转向聚焦，跳出教育，纵观世界，我们会惊奇地发现当今人类历史发展已处在新的拐点处——第四次工业革命正扑面而来，势不可当。这将给人类社会带来前所未有的系统而深刻的变革，也无疑会成为下一个时代教育的起点，并促使教育的变革与发展也随之迎来新的拐点。第四次工业革命的车轮驱动着全球化、新工业化、生态化、智能化和数据化时代滚滚向前，对教育发展变革，尤其是教育治理，带来了前所未有的冲击与挑战。这是全球教育治理以及中国教育治理必须构建的宏观视野。

一、人类历史拐点与教育发展的十字路口

在人类社会发展的历史长河中，技术革新和传播持续推动着人类创造新的世界。从农耕时代到工业时代再到信息时代，人类历史不断从一个阶段迈向另一个阶段。信息时代是人类正在经历的发展阶段，这个阶段无疑只是人类漫漫历史征程中的一个特定时期。未来，人类将走向何方？还可以走多远？

历史上，工业革命是指工业化进程中所发生的重大变革。新的制造工具的应用，推动了工业发生根本性的变革，引起了工业从旧质飞跃到新质，使国民经济的产业结构发生了重大的变化，进而使经济社会各方面出现了崭新面貌，推动了人类社会发展的进程和文明的程度。[①]人类进入工业文明阶段后至今已经发生了三次工业革命。从18世纪第一次工业革命的机械化，到19世纪第二次工业革命的电气化，再到20世纪第三次工业革命的信息化，一次

① 周洪宇. 周洪宇论第三次工业革命[M]. 武汉：湖北教育出版社，2014：215.

次颠覆性的科技革新，带来社会生产力的巨大解放和生活方式的大变革，从根本上改变了人类发展的历史轨迹。

统观前三次工业革命，可以发现它们对世界发展格局都产生了巨大影响。一是都极大地促进了社会生产力的发展，带来了工业布局的新变化。第一次工业革命随一波创新浪潮而来，例如蒸汽机和棉纺机的发明。它伴随着一次历史性剧变，带来许多系统性的变化，如城市化、大众教育和农业产业化等。第二次工业革命的核心是电气化和大规模生产，为世界带来了全新的社会模式和生产方式。第三次工业革命，以电子、信息技术和网络为核心，也被称为数字革命，在过去的七十多年，实现了生产的自动化，世界互联互通，使传统的物理世界彻底颠覆。二是都引起了社会关系的重大变革。第一次工业革命导致近代社会工业无产阶级和资产阶级产生，并开启了大规模的城市化进程。第二次工业革命致使垄断组织出现，并与国家政权结合，使自由资本主义过渡到垄断资本主义。第三次工业革命使国家垄断资本主义强化，第三产业比重上升。三是都对世界格局产生巨大影响。第一次工业革命确立了资本主义对世界的统治，殖民扩张造成东方从属于西方。第二次工业革命最终形成资本主义世界体系、殖民体系，世界成为一个密不可分的整体。第三次工业革命推动了国际经济结构的调整，全球化加速，世界各国经济相互依存，联系日益紧密。相较农耕文明时代而言，工业文明时代的人类更深刻地改变和影响了地球。第一、二次工业革命所创造的财富与统治力所向披靡、无可抵挡。第三次工业革命呈现了信息技术革命、生物技术革命等新形态，表现为新能源、新技术、新材料与互联网的融合、创新和运用。[①]它继续推进及强化了人类对自然的改造和控制力。

进入21世纪，科技推动社会飞速发展，大数据、人工智能、云计算等前沿技术不断取得突破，新技术、新业态、新产业层出不穷。这些因素促使第四次工业革命浪潮汹涌而至，这是一场更大范围、更深层次的科技革命和产业变革，即将深刻改变人类社会的发展进程。“第四次工业革命论”首倡者、世界经济论坛主席克劳斯·施瓦布所著的《第四次工业革命》一书认

① 周洪宇.周洪宇论第三次工业革命[M].武汉：湖北教育出版社，2014：218.

为这场革命正以前所未有的态势向我们席卷而来。其发展速度之快、范围之广、程度之深丝毫不逊于前三次工业革命。第四次工业革命的核心是智能化与数据化，它将数字技术、物理技术、生物技术有机融合在一起，即通过技术融合消除数字世界、物理世界和生物世界之间的界限。[①]因此迸发出强大的力量，对我们的经济和社会产生深刻影响。可植入技术、数字化身份、物联网、3D打印、人工智能、区块链、大数据、纳米技术、生物技术、材料科学、能源储存、量子计算等技术变革同步进行，融合形成一个高度灵活、人性化、数字化的产品生产与服务模式。与前三次工业革命不同，本次工业革命呈现出指数级而非线性的发展速度。原因在于我们目前生活在一个万物互联的世界，而且新技术也在不断催生更新、更强大的技术。创新的发展速度和传播速度比以往任何时候都快。这是一场深刻的系统性变革。它不仅从根本上改变了我们的生活、工作以及相互之间的关系，更改变了整个社会和我们的身份。

这些变革让各国、各类组织、人与人之间的利益和命运紧密相连，深度交融。我们认识和理解这次革命需要跨界思维。这次革命在推动生产力水平提高、物质丰富的同时，也将从速度、深度、广度上给个人以及经济、政治、社会和文化的发展带来新的冲击和变化、机遇与挑战。然而，世界经济新旧动能转换尚未完成，南北失衡等深层次、结构性问题还未消除。地缘政治冲突此起彼伏，保护主义和单边主义愈演愈烈。[②]这些问题与第四次工业革命带来的冲击合流，将成为影响世界和平与发展的不稳定因素。这正是我们今天所处的时代，是我们正面临的人类发展的历史拐点。

第四次工业革命和伴随着它的系统性变化，将会比以往任何时候都更加强调合作参与，要求进一步改变协同参与的方式，要求我们共同构想自己将要创造的未来。面对全球发展对沟通、合作越来越多的需求和依赖，每个国家都应该积极推进开放分享。德国政府在《德国2020高技术战略》中提出的

---

① World Economic Forum. The Fourth Industrial Revolution，by Klaus Schwab [EB/OL].[2020-01-14]. http://www.weforum.org/about/the-fourth-industrial-revolution-by-klaus-schwab.

② 习近平. 让美好愿景变为现实——在金砖国家领导人约翰内斯堡会晤大范围会议上的讲话[N]. 人民日报，2018-07-27（3）.

十大未来项目之一——工业4.0，旨在提升制造业的智能化水平，建立具有适应性、资源效率及基因工程学的智慧工厂，在商业流程及价值流程中整合客户及商业伙伴。其技术基础是网络实体系统及物联网。这是发达国家对第四次工业革命的积极回应。

全人类历史拐点的出现，把正在现代化建设道路上奋力前行的东方第一大国——中国再一次推到了历史的十字路口。前两次工业革命的缺席，使中国没有赶上西方的工业化进程，而成为工业化的后发国家。从中华人民共和国成立后的第一个五年计划起，中国在工业基础十分薄弱的条件下，开始了以工业化为核心的现代化征程。经历了从传统的社会主义工业化道路到改革开放后的中国特色社会主义工业化道路的转型，中国工业化取得了巨大的成就，中国已经从农业经济大国转变为工业经济大国。但它的工业化仍然没有完成，工业化进程仍在途中。今天，正当中国即将快速跨入工业化国家行列之际，人们眼前却横出一块“工业文明将就此止步”的警示牌，令中国蓦然站在时代大转型的历史关口。

站在人类历史拐点处，中国该何去何从？作为全球化进程的重要参与者，当前的中国也面临着经济、社会转型等重大问题。中国经济已由高速增长阶段转向高质量发展阶段，正处在转变发展方式、优化经济结构、转换增长动力的攻关期，迫切需要抓住第四次工业革命的机遇，寻找可持续发展的原动力。

放眼全球，人类正面临百年未有之大变局。基于互联网技术的智能化、数据化高度融合的第四次工业革命已经来临。我们不仅需要反思我们的经济、社会和政治体制，还需要反思我们的教育是否能够适应和引领这场深刻的变革，反思教育这把钥匙能否打开一扇可以让我们看到希望和未来的思考之门。

二、全球化新文明时代的教育治理

如果说告别工业化社会、迎接第四次工业革命带来的新文明是人类走出当前困境的必由之路，那么，由此催生的全球化时代则使全球治理成为现实。正在蓬勃发展的全球治理实践给全球教育治理带来了新的动力，进一步推动了全球教育治理的发展。

21世纪，随着全球化、区域一体化进程的持续发展，人类日益成为一个命运共同体。以人工智能、数据化等深度融合为标志的第四次工业革命让这种趋势愈发加速。人工智能及相关技术带来的安全和治理挑战是需要全人类共同面对的问题。同时，人类还面临许多领域的问题，如核威胁、气候变化、环境污染、疾病流行等。这些问题一旦爆发，各国很难独善其身。这就需要各国具备全球视野，协同合作，共同解决这些问题。“人类的政治生活正在发生重大的变革，其中最引人注目的变化之一，便是人类政治过程的重心正在从统治（government）走向治理（governance），从善政（good government）走向善治（good governance），从政府的统治走向没有政府的治理（governance without government），从民族国家的政府统治走向全球治理（global governance）。”[①]全球治理是国际体系中以主权国家为核心的各个行为体共同合作，通过正式制度和非正式制度安排，协调各自利益和政策，以应对全球化时代人类社会必须面对的各种跨国的全球性挑战，并支持各个国家实现国家治理水平提升的活动。从中国的角度看，全球治理与国家治理是当代中国两大战略考量。日渐崛起的当代中国，经济总量居于世界前列，成为世界经济增长的新引擎，国际社会赋予中国更多责任与希望。中国积极参与全球治理，有助于澄清当下国际社会对中国的质疑与误解，表明当代中国的担当，有助于化解国际社会对中国“参与不足”的指责，表明当代中国维护人类共同利益、推进人类共同进步的理念与追求，有助于赢得国际社会的尊重，从而引领着人类的发展。

教育治理是全球治理的一个重要组成部分，也是国家治理的具体内容。全球治理和国家治理的推进势必促进教育治理的发展。第四次工业革命必将深刻改变人类的学习方式和生活方式，引发人们对于“人”的价值的进一步思考。教育和教育治理的理念、规则、方式也不可避免地要受到影响和冲击。世界银行发布的年度旗舰报告《2018年世界发展报告：学习以实现教育的承诺》(World Development Report 2018：Learning to Realize Education’s

---

① 俞可平. 全球治理引论[J]. 马克思主义与现实，2002（1）.

Promise)指出，全球教育面临“学习危机”——上学却没学到知识，这不仅是浪费发展机遇，也是对全世界儿童和青少年的巨大不公。造成“学习危机”的一个重要原因就是低效的教育管理和治理。

近年来，全球教育治理的理念正在出现新的变化。2015年年底，联合国教科文组织发布了一份新的研究报告《反思教育：向“全球共同利益”的理念转变？》（Rethinking Education: Towards a Global Common Good ？）。这是联合国教科文组织成立七十多年以来，继1972年出版的研究报告《学会生存：教育世界的今天和明天》（Learning to Be：The World of Education Today and Tomorrow，又称《富尔报告》，即Faure Report）和1996年出版的研究报告《教育——财富蕴藏其中》（Learning：The Treasure Within，又称《德洛尔报告》，即Delors Report）之后，又一份非常重要的报告。联合国教科文组织总干事伊琳娜·博科娃在这一报告的《序言》中开门见山地写道：“我们在21世纪需要怎样的教育？在当前社会变革的背景下，教育的宗旨是什么？应如何组织学习？本出版物的思想便是因这些问题有感而发。”她继而写道：“我确信，我们今天需要对教育再次做出高瞻远瞩的思考。”博科娃认为“再没有比教育更加强大的变革力量”。她进而强调“教育促进人权和尊严，消除贫穷，强化可持续性，为所有人建设更美好的未来”，“教育以权利平等和社会正义、尊重文化多样性、国际团结和分担责任为基础”。她最后指出：“我们必须高瞻远瞩，在不断变化的世界中重新审视教育。”这种重新审视的结果就是我们21世纪的教育应该向“全球共同利益”的理念转变。可以断定，这份报告必定像前两份报告那样对世界教育的发展产生重大影响。

随着全球一体化进程加速，全球性教育问题（如教育不平等、“学习危机”等）将持续存在而且有复杂化的趋势。通信技术、信息技术和互联网技术的飞速发展，也让教育领域的许多问题，如信息技术背景下的核心素养、信息技术教育、教育与经济同步发展、教育与创新等，成为具有全球性特质的难题。要解决这些问题，客观上要求全球教育治理这一理念、方式及行动在世界各国教育领域中发挥越来越重要的作用。它要求世界各国站在全球的高度，运用现代治理的理论和理念，以主权国家为主体，充分运用国际政府组织、国际非政府组织、公民社会等的力量，寻求问题的最佳解决方案。教育领域已显现了全球化的负面影响，需要更有效的全球治理。[①]世界主要国家，国际组织如联合国教科文组织、世界银行、经合组织、联合国儿童基金会、二十国集团、全球教育合作组织等，全球知名智库如卡耐基教学促进会、布鲁金斯学会、兰德公司、澳大利亚教育研究委员会等，都是参与全球教育治理的行为主体。它们正通过各种方式介入全球教育领域的治理。全球教育治理是顺应时代发展趋势的一种新型治理理论，如何从参与全球教育治理的诸多行为主体的行动中总结全球教育治理的实践经验、提炼理论，如何运用其推动全球教育的发展，成为当前迫切需要研究的课题。

当前，中国正处于推进国家治理体系与治理能力现代化建设的关键阶段，教育领域也不例外。中国实行改革开放的国策，把自身置于世界的开放体系之中。改革开放推动中国教育取得了举世瞩目的巨大成就，教育同步助力改革开放走向更高水平、更高层次。与此同时，教育也面临着新的更大的机遇与挑战。党的十九大确定了中国发展新的历史方位——中国特色社会主义进入了新时代。新时代的社会主要矛盾发生了变化，教育领域的主要矛盾集中体现为人民对优质教育日益增长的需求与教育发展的不平衡不充分之间的矛盾。2019年2月，中国颁布了《中国教育现代化2035》和《加快推进教育现代化实施方案（2018—2022年）》，明确了未来一段时期中国教育发展的总体思路、战略任务、实施路径与保障措施。《中国教育现代化2035》提出对内要“加快推进教育现代化、建设教育强国，办好人民满意的教育”，对外则是要开创教育对外开放新格局，“积极参与全球教育治理，深度参与国际教育规则、标准、评价体系的研究制定。推进与国际组织及专业机构的教育交流合作。健全对外教育援助机制”。[②]文件方案的出台标志着中国教育现代化走向新时代、新目标和新征程。[③]推进教育现代化、建设

① 卡伦·芒迪. 全球治理与教育变革：跨国与国际教育政策过程研究的重要性[J]. 申超，译. 北京大学教育评论，2011（1）.

② 中共中央、国务院印发《中国教育现代化2035》[N].人民日报，2019-02-04（1）.

③ 周洪宇，刘大伟. 中国教育现代化走向新时代新目标新征程[N]. 中国教育报，2019-04-01（1）.

教育强国和参与全球教育治理势必对教育治理的理念、体系、制度、内容、方法等提出新的要求。当前，中国已置身于第四次工业革命主导的全球化、智能化、数据化、信息化、生态化时代，教育治理理念也将升级换代。第四次工业革命这一全人类共同面临的巨大变革，同样对不断深化改革、扩大开放的中国产生影响，也对中国的教育治理提出全方位挑战。对于当今的中国而言，建立现代教育治理体系、完善学校内部治理结构、推进教育治理体系与教育治理能力的现代化，不仅是重要的，而且是十分紧迫的时代任务。2019年10月召开的中共十九届四中全会通过了《中共中央关于坚持和完善中国特色社会主义制度、推进国家治理体系和治理能力现代化若干重大议题的决定》，提出要把我国制度优势更好地转化为国家治理效能，具体在教育领域，要“发挥网络教育和人工智能优势，创新教育和学习方式，加快发展面向每个人、适合每个人、更加开放灵活的教育体系，建设学习型社会”。十九届四中全会关于教育的论述及时地回应了第四次工业革命给教育带来的机遇和挑战，为国家教育现代化指明了方向。同时，参与全球教育治理亦是中国由教育大国走向教育强国的必由之路。中国由教育大国向教育强国迈进的征程中，在努力实现本国教育现代化的同时，秉持共商共建共享的全球治理观，积极参与全球教育治理，为人类社会贡献中国特色的教育智慧、教育治理方案和力量，既是中国的使命，亦是担当，更是走向教育强国、负责任大国的必然选择。[①]研究国家教育治理及全球教育治理的理论、实践、经验及教训，成为中国教育学术界的当务之急。

三、研究全球教育治理是中国教育学术界的当务之急

作为当代中国怀抱着理想、洋溢着激情、时刻关注着中国乃至人类命运、富有社会责任感和历史使命感的学术研究者，我们有义务也有责任从事教育治理包括全球教育治理的研究工作。作为当下中国主要民间教育智库之一的长江教育研究院及高校教育智库——华中师范大学国家教育治理研究

① 周洪宇，付睿．参与全球教育治理：从教育大国走向教育强国的必由之路[J]．世界教育信息，2018（3）．

院的重要成员，我们有义务也有责任从事教育治理包括全球教育治理的研究工作。我们的研究原则是“全球视野，中国本位，问题导向，专业研究”，这与我们智库的定位与目标“立足华中，影响全国，走向世界”，研究风格“全球视野，中国特色，专业能力，实践导向”，以及基本宗旨“民众立场，建设态度，专业视野”等，都是一致的。我们希望通过开展全球教育治理研究，“出思想，出人才，出产品，出效益”，真正发挥学术研究者的作用，推动中国的教育改革和发展，推进中国的教育治理体系与治理能力现代化进程，乃至促进全球教育治理理念、结构与体系的变革。

为此，我们以长江教育研究院、华中师范大学国家教育治理研究院的专家学者为主，同时邀请国内外知名高校的一批国别教育研究专家参与，组织撰写了这套“全球教育治理研究系列”。这套丛书的编写目的，就是要在全球化及第四次工业革命的背景下，探讨全球教育治理的理念、经验教训和趋势，进而讨论中国教育治理的发展道路。丛书涉及三个层面的视角，即超国家层面、国家层面、次国家层面。超国家层面主要研究联合国相关部门、国际组织、大型跨国公司等，分析其对全球教育治理进行研究的成果、形成的研究报告和政策是怎样影响世界各国的。国家层面研究各国在全球教育治理的背景下是如何根据本国国情进行本国国家教育治理的。次国家层面更加中观和微观地审视一个国家各级行政区划内部的教育治理，甚至细化研究一类教育类型的治理或者一所学校的治理。丛书围绕上述三个层面开展研究，力图完整清晰地展示全球教育治理的全貌及其基本特征，为教育研究者、教育工作者提供一个全面深入了解全球教育治理的窗口。

几年前，我在组织编写“教育智库与教育治理研究丛书”（共14册，湖北教育出版社2016年出版）的同时，就已经设想接着要向两头延伸，继续组织编写“全球教育治理研究系列”和另一套“全球教育智库研究丛书”，最终形成“教育智库与教育治理研究”的“三部曲”。为此，2016年编写出版第一套研究丛书后就以第一套丛书的部分作者为基础，本着五湖四海、众志成城的基本原则，在全国物色合适作者，在综合考虑研究能力与研究专长的基础上，最终确定了本丛书各册的写作者。与此同时，由湖北教育出版社牵头积极申报国家出版基金资助项目，“全球教育治理研究系列”成功获批

2017年度国家出版基金资助立项，使后续工作有了良好的开局。

“全球教育治理研究系列”共10册，具体如下：

1.《全球教育治理研究导论》（华中师范大学教授、博士生导师周洪宇，华中师范大学副教授付睿著）

2.《中国教育治理研究》（华中师范大学教授、博士生导师周洪宇，湖北大学教务处副处长、博士后李中伟，华中农业大学教授陈新忠著）

3.《美国教育治理研究》（华中师范大学教授戴伟芬，湖北幼儿师范高等专科学校学前教育系副主任李娜等著）

4.《英国教育治理研究》（浙江大学教授阚阅著）

5.《德国教育治理研究》（华中师范大学副教授岳伟著）

6.《日本教育治理研究》（湖北大学教授赵霞著）

7.《加拿大教育治理研究》（中南民族大学教授汪丞，加拿大布鲁克大学教授、博士生导师路春雷，加拿大布鲁克大学博士后荣文婷著）

8.《俄罗斯教育治理研究》（辽宁师范大学副教授乔桂娟著）

9.《印度教育治理研究》（华中师范大学教授、博士生导师王建梁著）

10.《南非教育治理研究》（华中师范大学副教授李先军著）

“全球教育治理研究系列”有总有分，总分结合，以分为主，由点到面，兼顾发达国家和欠发达国家，覆盖面尽量广一些。其中，《全球教育治理研究导论》主要从超国家层面研究全球教育治理的基本理论，以及重要的国际组织、知名智库、机构参与全球教育治理的理论及其实践，并对中国参与全球教育治理的情况进行梳理分析，试图从整体上建构全球教育治理的一般理论体系，为中国及其他行为主体参与全球教育治理提供理论和实践基础。其他各册以国家层面为主，同时兼顾次国家层面，对全球重要国家的国家教育治理理论及经验进行研究，指出对中国进行国家教育治理及参与全球教育治理的可借鉴之处及启示。

受湖北教育出版社委托，全套图书由我担任主编，提出研究思路，规划整体布局，拟定研究大纲，草拟写作体例，统审系列书稿。比较教育专家王建梁教授担任副主编，协助我联络作者，审改初稿，处理日常事务。我们希望未来在此基础上再组织一套以教育治理不同方面为重点的研究系列，与此套丛书相辅相成，相得益彰。在此，我代表丛书编委会向丛书的各位作者及编辑人员表达诚挚的敬意，向对此套丛书编写出版工作作出指导与提供支持的各界人士表示感谢。由于教育治理研究，尤其是全球教育治理研究，在国内才刚刚起步，基本上没有什么可供参考的论著，完全是靠我们自己的摸索，此套丛书不成熟之处在所难免，还请各位读者不吝指教。

周洪宇

2020年5月1日

目　录

第一章　印度教育从管理到治理的演变

印度国名的全称为“印度共和国”，为世界四大文明古国之一。国土面积约298万平方千米（不包括中印边境印占区和克什米尔印度实际控制区等），居世界第7位。人口13.24亿，居世界第2位。官方语言为英语和印地语。约有80.5%的居民信奉印度教。首都为新德里（位于德里西南，是德里的新城），人口2 500万（2014年）。

印度原为英国殖民地，1947年8月15日，印度摆脱英国殖民统治，取得独立。《印度共和国宪法》（以下简称《宪法》）于1950年1月26日生效，规定印度为联邦制国家，是主权的、社会主义的、世俗的民主共和国，采取英国式的议会民主制。公民不分种族、性别、出身、宗教信仰，在法律面前一律平等。印度联邦议会是印度最高立法机构，由总统和两院组成。两院包括联邦院（上院）和人民院（下院）。总统召集两院开会，宣布休会或解散人民院，但不参加两院的讨论。人民院为国家主要立法机构，每届任期五年，其主要职能为：制定法律和修改宪法；控制和调整联邦政府的收入和支出；对联邦政府提出不信任案，并有权弹劾总统。以总理为首的部长会议是印度最高行政机关。总理由总统任命人民院多数党的议会党团领袖担任，部长会议还包括内阁部长、国务部长。总理和内阁部长组成的内阁是决策机构。

目前印度还属于发展中国家，2018—2019财年国内生产总值为2.72万亿美元，人均国内生产总值为2 038美元。农村人口占总人口数的72%。由联合国开发计划署和“牛津贫困与人类发展项目”共同推出的“多维贫困指数”（MPI）的最新报告显示，2015—2016年，印度人口贫困率为28%。①

---

① 上述三段信息来源于中国外交部网站：中华人民共和国外交部. 印度国家概况[EB/OL]. [2018-08-03]. http://www. fmprc. gov. cn/web/gjhdq_676201/gj_676203/yz_676205/1206_677220/1206x0_677222/.

印度目前共有84万多所初级小学、近43万所高级小学、近14万所初级中学、11万多所高级中学，799所大学、39 071所学院。其中综合性大学544所，包括著名的德里大学、尼赫鲁大学、加尔各答大学等。[①]印度教育发展的成就为世界瞩目。

印度独立70多年来之所以能从一个相对封闭落后的国家不断向大国迈进，其秘诀就是大力发展教育和科技。印度政府很早就把发展教育作为重点，提出了"经济发展植根于教育，未来之根在课堂""将教育作为经济起飞之基石"等教育发展观和战略思想。从独立之初全面酝酿教育改革，到20世纪60年代实施以发展教育为重点的战略决策，再到20世纪70年代重点发展高等教育、20世纪80—90年代强调普及免费义务教育、21世纪以来积极推行创建世界一流高等教育体系，印度将教育作为重点的行动一直在延续。

第一节 殖民地时期的教育管理

作为世界文明古国，印度古代教育具有独特的发展模式。但是这种模式在公元1600年英国对印度开始实行殖民统治之后发生了改变，印度作为英国的殖民地，其教育发展模式基本上成为英国发展模式的翻版，并且影响一直持续至今。

英国对印度实施殖民统治的前期，由于当时英国国内对教育采取放任自流的政策，所以代表英国对印度进行殖民统治的东印度公司更没有动力在印度开展大规模教育治理，在东印度公司成立之后的200多年时间（1600—1854）里，印度教育呈现出无政府发展的状态。1854年7月19日《伍德教育急件》颁布后，殖民地政府开始设立教育部门，逐步开启教育管理的进程，20世纪20年代之后，初步形成了中央和地方共同管理教育的模式。

---

① MHRD：Education statistics at a glance[EB/OL]. [2018-12-26]. mhrd. gov. in/sites/upload-files/mhrd/files/statistics-new/ESAG-2018. pdf.

一、教育行政管理机构的初创

东印度公司成立的目的是在印度开展贸易活动，进行经济掠夺，对教育事务不甚积极，后来还通过了一项关于印度教育的“中立政策”。[①]但之后，随着形势的发展，不少印度上层人士希望英国统治者重视教育并建立高等教育机构。为了回应这种诉求，首任印度总督黑斯廷斯1781年创建了加尔各答马德拉萨学院，主要目的是为穆斯林的上层社会提供教育。学时共7年，以宗教课程为主，除伊斯兰教神学外，还有法律、哲学、天文学等。教学语言是阿拉伯语和波斯语。邓肯1792年建立了贝拿勒斯梵文学院，设有印度教、法学等学科，以梵语为教学语言。埃尔芬斯通1828年在印度西部的浦那市为印度教教徒建立了一所学院，即浦那学院。[②]埃尔芬斯通还建议东印度公司支持公共教育，政府开办学校，而且要给教育委员会提供资金。他的建议后来为政府所采纳，教育逐渐被纳入政府的管理之中。

殖民地时期，印度最早的教育行政管理机构雏形是1823年成立的公共教育总会，它是为使用东印度公司所拨的10万卢比教育经费而创办的，印度近代意义上的教育行政也随之出现。1813年，英国议会通过的东印度公司特许状第43条规定：东印度公司“每年应拨出不少于10万卢比的款项，用于文学的复兴和提高，鼓励印度本地的学者，以及在英属印度领土上的居民介绍和提倡科学知识”[③]。

1830年，时任英国首相查尔斯·格雷认为，搞好教育是殖民地区发展的重要基础。这种想法影响到各殖民地教育的发展。1835年，印度总督本廷克签署了一项决议，规定“英国政府的伟大目标应该是在印度居民中提倡欧洲的文学和科学，拨给教育的所有款项只能用于英语教育”[④]。这是英国政府对印度教育提出的第一个决议，标志着英国政府开始较为系统地谋划印度教

---

① 赵中建．战后印度教育研究[M]．南昌：江西教育出版社，1992：4.

② 巴苏．印度教育制度的起源和演变（1757-1947）[C]．吕恩琳，译．张诗亚，校//瞿葆奎．教育学文集第24卷：印度、埃及、巴西教育改革．北京：人民教育出版社，1991：149-176.

③ 赵中建．战后印度教育研究[M]．南昌：江西教育出版社，1992：10-11.

④ 赵中建．战后印度教育研究[M]．南昌：江西教育出版社，1992：13.

育的发展。

当时印度西北邦的教育较为发达，该邦设立了教育部，开始有组织地管理教育事务。1845年，该邦首脑汤姆逊发布指令，要求每个区的官员都要重视教育，同时鼓励地方人民的参与。后来，东印度公司帕尔豪斯勋爵建议印度所有的23个邦都要实施汤姆逊所提出的开办学校的计划，并建议比哈尔和孟加拉也实施这一计划。其他邦不仅在汤姆逊的推动下建立了教育部，而且推广了西北邦的教育体制。

二、全国性教育行政管理机构的设立

1830年之后，印度的教育得到了较快发展，教育行政管理机构也在各邦逐渐建立，但是全国性的教育行政机构尚未建立，各邦教育的发展还是各行其道。1853年，英国成立了一个印度教育状况调查委员会，英国议会监督局主席查理·伍德担任该委员会主席。1854年，委员会完成了调查报告，提出了在印度建立完整的近代教育体系的建议，这就是《伍德教育急件》。这是一份100多页的报告，该报告建议：

> （1）在当时英属印度的5个省（孟加拉、孟买、马德拉斯、西北边境省和旁遮普）设立公共教育部；主要职责和权力是视察学校和学院，并提交相应的报告，在创办学校和学院的过程中指导管理者和校长。
>
> （2）以英国伦敦大学为榜样在当时英属印度的3个城市（加尔各答、马德拉斯、孟买）创办大学；原有的私立学院作为这些大学的附属学院；大学的管理由评议会负责，评议会由政府任命的校长、副校长和其他人员组成。
>
> （3）建立补助金制度，给予那些符合政府要求的教育机构以财政补助。
>
> （4）建立上下衔接的学校制度，与补助金制度相适应。
>
> （5）确立英语为教学语言。①

① 赵中建．战后印度教育研究[M]．南昌：江西教育出版社，1992：15-16.

《伍德教育急件》的出台是印度教育发展史上具有里程碑意义的事件之一，它对印度的教育发展和教育行政产生了深远影响。由此，英国政府第一次以立法的形式确定了印度的教育政策；第一次确立了从小学到大学的现代教育制度；第一次明确地提出了推广现代学校的设想；第一次明确规定了印度教育行政机构的设置。

《伍德教育急件》颁布后，印度教育得到了一定的发展，教育行政管理也得到了一定程度的加强。按照要求，1855年，印度教育部成立，成为当时印度教育行政的最高机构。虽然教育部在当时政府部门中的地位并不是很高，地方各邦也多自行其是，但毕竟是号令全国的教育管理机构，对印度教育的发展发挥了重要作用，使各级教育都有了稳定的发展。

为了解1854年《伍德教育急件》颁布以来印度教育发展的情况，1882年，印度成立了历史上第一个教育委员会——印度教育委员会实施调查。委员会调查的面很广，主要涉及三个方面：（1）政府是否过多注意高等教育而忽视初等教育；（2）公立教育机构在教育制度中的地位如何；（3）政府对私立院校应采取什么样的政策。就其建议的主要方面而言，委员会提出将初等教育交由地方政府负责。在中等学校中设立两类课程，一类课程为大学入学考试做准备；另一类课程则应是实际的，具有职业性质的。委员会建议对高等教育推行“放任政策”，即政府不再开办新的学院，但鼓励私人办学，而且私立学院的收费标准可以高于公立学院。

三、教育作为地方事务的确立

进入20世纪后，印度的各级各类教育都有了一定的发展。当时的印度总督寇松放弃了国家不应干预教育的思想，反而强调只有政府才能改善教育现状。1901年，他在西姆拉召开全体公共教育总理事会议，着手制定新的教育政策。1902年，英国殖民政府设立以雷利为主席的印度大学委员会。该委员会建议缩小大学评议会的规模，限制学院的附属条件。根据这些建议，1904年，印度殖民政府出台了《印度大学法》。[①]这是印度现代高等教育发展史

① 巴苏．印度教育制度的起源和演变（1757-1947）[C]．吕恩琳，译．张诗亚，校//瞿葆奎．教育学文集第24卷：印度、埃及、巴西教育改革．北京：人民教育出版社，1991：149-176.

中的重大事件之一。该法对印度大学管理现代化与大学教育水平的提高都产生了积极的影响。

英殖民政府对控制高等教育较有兴趣，因此战线较长、收益不彰的基础教育一直处于放任状态，导致印度基础教育事务基本由地方推动。殖民政府先后发布三份重要的报告，分别是《工业委员会报告》《萨德勒报告》和《蒙特福特报告》。《工业委员会报告》认为技术教育的运行离不开工业部门，建议把技术教育划归工业部管理。《萨德勒报告》强调高等教育应该更多地由中央政府来管理即对中央政府负责。《蒙特福特报告》基于教育财政问题和民主政治利益的考量，则认为将教育的相关权力下放到地方政府有一定必要性，在地方事务的图解表单中，教育事务包含了“初等、中等、学院、大学”对象的管理权。[①]1919年，《印度政府法》获得通过，确定教育（包括农业和医学教育）作为地方自治事务。由此，教育成为各邦自治事务。

第二次世界大战期间，英国殖民政府于1944年委托中央教育咨询理事会出台了《印度战后教育发展》报告，又称《萨金特报告》（萨金特时任中央教育咨询理事会主席）。该报告建议在各邦仍为教育管理主体单位的前提下，建立一个强有力的中央教育部。[②]1947年印度独立，这份报告的各项任务未能付诸实施。

第二节　独立后的印度教育治理

1947年8月15日，印度摆脱了英国的殖民统治，翻开了历史新篇章。就在这天凌晨，印度首任总理尼赫鲁向全世界宣布印度的独立。他庄严地指出：“在午夜钟鸣之时，当整个世界还在酣睡的时候，印度醒来了，它获得了新生和自由。”从此，印度开始走自我发展的道路。

---

① M. R. Kolhatkar. Education and Federalism[M]. New Delhi:Rawat Publications，2012：73.

② 王长纯 . 世界教育大系：印度教育[M]. 长春：吉林教育出版社，2000：91-92.

独立后的印度，对原有殖民地时期的教育管理方式进行了不断深入地改造，教育治理制度也是几经变化，不断调整。1968年、1986年发布的教育政策使印度教育治理大致经历了分权—集权—分权的过程。

一、地方为主的教育治理（1947—1967）

1950年印度制定了自己的宪法，将立法权划分为中央和地方两部分，并规定某些立法权由中央和地方共同行使。教育立法实行地方分权，教育事务原则上由各邦管理，联邦教育部通过对邦政府的财政援助，在促进教育的发展与消灭各邦的差别等方面起指导作用。各邦有权制定自己的教育法，一般采取成文法和判例法并存的形式。由于各邦的邦情和立法思想不同，各邦教育法的内容、体系结构也不相同，但是，各邦教育法的设立及实施都必须遵循印度宪法规定的法律思想和法律原则，同时也受联邦最高法院判例法的影响和制约。

独立后，印度设立了教育部，专司教育事务。在宪法的原则指导下，教育部具体承担全国教育的管理工作。1957年，教育部改称为教育和科学研究部。下设三个司：教育司、科学研究和技术教育司、文化活动和体育司。1958年，教育和科学研究部被拆分成为两个部：教育部和科学研究部，每个部分别在两个国务部长领导下开展工作。教育部接管了教育司及文化活动和体育司的体育工作。1963年，两个部再次合并，名称也恢复为教育部。绝大部分时间，主管这个部的部长都是内阁成员。

印度发展教育主要以制订“五年计划”（有译者译为“五年规划”）为抓手。1950年成立的计划委员会，由总理尼赫鲁本人出任主席。关于教育的第一个“五年计划”（1951—1956）的预定目标为：（1）使6—11岁年龄组中男孩受教育比例达到60%；（2）6—11岁年龄组中的女孩受教育比例达到35%；（3）在中等教育这一层次，男、女学生增长的比例分别达到18%和12%；（4）15—35岁年龄组受教育比例达到30%。[①]

---

① 夏尔马．五年计划中的教育[C]．李亚玲，译．赵中建，校//瞿葆奎．教育学文集第24卷：印度、埃及、巴西教育改革．北京：人民教育出版社，1991：194-213.

在印度的教育治理体系中，国家教育咨询委员会起着非常重要的作用。此一时期建立的委员会有大学拨款委员会、全国教育研究与培训委员会等。除了这些常设的咨询委员会外，还有1948年创立的以拉达克・里什南为主席的大学教育委员会、1952年创立的以马达利尔为主席的中等教育委员会、1955年创立的以拉马・钱德兰为主席的基础教育评定委员会。特别是1964年成立的科塔里委员会，对印度教育的发展影响甚巨。

1964年7月，印度任命了以科塔里博士为领导的教育委员会，这就是著名的科塔里委员会。这个委员会负责向议会提出有关全国教育发展的总方针以及全国统一的教育模式的建议。该委员会委员皆为一时翘楚，除了7名本国成员外，还有来自美国、苏联、英国、法国和日本的5名外国成员，又聘请了20名世界知名教育专家担任顾问。该委员会全面调查了印度的教育现状，于1966年6月完成了《教育与国家发展》报告。在报告中，委员会不仅指出了印度教育存在的弊端，而且还就印度教育发展的目标、方向和一般原则提出了重要的建议。在教育行政方面，该委员会详细探讨了各级教育行政机构的职责，并提出了改进教育行政与管理的建议。[①]该委员会提出的一系列建议，此后十几年一直为印度教育改革所重视。

独立前，印度教育行政的性质是殖民管理的直接结果；独立后，印度教育行政的性质发生了变化，民主程度不断提高。在教育行政方面，印度通过几次重大的改革，到20世纪60年代中期，逐步形成了在中央统一指导下，以各邦为主的教育行政体制。

二、中央权力加强的教育治理（1968—1985）

独立之初，教育治理的权力主要在各邦手中。而各邦经济社会发展极为不平衡，导致教育发展差别也很大。这种差别直接影响到印度教育的整体实力。

科塔里委员会认识到因为中央缺乏足够的权力，国家教育政策无法取得

① Ministry of Education，Government of India. Education and National Development：Report of the Education Commission（1964–66）[R]. Delhi：1966.

满意的执行效果，因此多数委员会成员希望教育作为一个整体成为中央与各邦的并行事务：

> 我们不支持破碎的教育，教育理应被视为一个整体。像我们这样广袤的国家，教育理应在宪法中占据最重要的地位，它给中央领导力带来的是主动的刺激而不应是被动接受的地位。并行体制可能会导致不合需要的中央集权以及更显著的僵化局面，但当前更需要中央和各邦教育上的伙伴关系。①

为了更好促进教育的发展，在科塔里委员会建议的基础上，印度制定了1968年的《国家教育政策》。这是独立后印度教育发展史上具有里程碑意义的事件之一。

该政策虽然没有就中央和各邦所拥有的教育权力提出建议，但是明确规定了中央应该加强对各邦的指导，实际上是进一步加强了中央的权力，为1976年的宪法修正案打下了基础。文件第6条规定：

> 印度政府认识到重建教育并非易事，这不仅因为经费匮乏，而且还因为各种问题极为复杂。考虑到教育、科学和研究在开发国家的人力和物力资源方面所起的关键作用，印度政府除了承担中央部门的各种职能外，还将帮助各邦政府制订具有全国意义、需要各邦和中央协力合作的各种计划。②

1968年的《国家教育政策》还强调印度政府促进全国教育的十七点指导原则，其目的是对教育体制进行重大改革，以适应国家经济和文化发展的需要。该原则的要点有：对所有14岁以下儿童实行免费义务教育，杜绝辍学现象；减少学校教育中的浪费；发展各种民族语言；普及教育，消除地区发展的不平衡；改善教师的地位，增加教师工资，提高教师素质；重视科学教

---

① M. R. Kolhatkar. Education and Federalism[M]. New Delhi:Rawat Publications，2012：78.

② 印度教育和社会福利部．国家教育政策（1968）[M]．赵中建，译．夏孝川，校//瞿葆奎．教育学文集第24卷：印度、埃及、巴西教育改革．北京：人民教育出版社，1991：299-308.

育与研究；增设技术教育和职业教育机构；提升高等教育的质量等。此后，印度对教育进行了比较全面和深入的改革。在教育行政上也进行了多方面改革，充实和强化了各级教育行政机构，并尝试建立全国统一的学制。

20世纪70年代中期以前，印度教育基本上是各邦事务，中央政府很少加以干预，也很少给予财政支持。但是独立后20多年，教育发展始终不能令全国上下满意，究其原因，多归结为地方各邦财力不足，不能提供充足经费。于是，提高中央管理教育权限的呼声越来越高。为顺应这种需求，1976年，印度政府对《宪法》进行了第42次修正，并由联邦议会通过。第42次宪法修正案将立法权限划分为三部分，即中央享有立法权，由联邦议会行使；各邦也享有立法权，由邦议会行使；中央和邦共同享有的立法权，由联邦议会和邦议会行使。史称《并行条目》①。

由此，联邦的教育立法权通过《并行条目》得到扩大，实际上削弱了邦的教育立法权。特别是在高等教育方面，扩大了中央政府管理权力。在独立之初，按照印度宪法规定，高等教育主要是邦的职责，除中央政府直接管理的几所大学之外，其他全部大学是邦立大学，有关大学的各种重大决定，一般都是由邦政府作出的，所有院校必须由邦特许，大多数院校都从邦政府获取办学经费。中央政府仅仅通过教育部和大学拨款委员会间接掌握一部分权力，主要是掌握教育体制改革的权力。②比如，《并行条目》中规定的“职业与技术培训”“法律、医学等关键专业”原是各邦的事务，1976年后则成为中央和各邦共同承担的责任；高等技术院校因为耗资较大，几乎完全由中央政府承担。特别是根据《联邦条目》第66项，联邦拥有对高等教育和研究机构标准的协调和确定权，中央政府强化了对各邦高等教育的干预。③

1976年《宪法》修正案所确立《并行条目》基本上确立了以后中央和各邦教育管理的模式，1986年的《国家教育政策》称之为“有意义的合作关系”。报告这样表述：

---

① 1976年6月，印度联邦议会通过《宪法》第42次修正案，把先前主要由各邦控制的教育事务划入《宪法》的《并行条目》。

② 曾向东．印度现代高等教育[M]．成都：四川大学出版社，1987：22.

③ 郝维谦，李连宁．各国教育法制比较研究[M]．北京：人民教育出版社，1999：226.

1976年的宪法修正案具有深远的意义。它把教育归入《并行条目》中。修正案要求联邦政府和各邦之间就教育这个国家生活的重要领域在物质、财政和行政方面共同承担职责。邦政府关于教育的作用和职责基本保持不变，而联邦政府要承担更多的职责以加强教育的国家性和整体性，维持教育质量和标准（包括各级教学专业的质量和标准），研究和调控这个国家在发展所需人才方面的教育要求，满足研究和高级研究的需求，并了解国际上在教育、文化和人力资源开发方面的情况。总之，是为了在全国促进教育金字塔结构所有各级都取得优异。并行权利体现了一种能立即显示出意义深远且具有激励作用的伙伴关系。国家教育政策将从字面上和精神上对这种伙伴关系产生影响。①

三、教育分权影响下的教育治理（1986年以后）

虽然1976年《宪法》修正案从根本上削弱了各邦的教育权，加强了中央管理教育的权力，力图统一全国的教育，加快人力资源的培育，提高国家的竞争力。但是由于印度人口众多，幅员辽阔，到20世纪90年代初，印度有57.5万所初级小学，在校生近1亿人。要对这样庞大的机构进行管理和统一计划，没有基层部门的支持是不可能的，因而有必要进行初等教育计划和管理方面的分权。特别是世界新自由主义思潮和新公共管理运动开始影响到教育领域，印度在此期间重视教育分权，除了向各邦分权，还更多把教育管理的权力分给社区和家长，由地方制订区（县）具体的初等和中等教育发展计划。

因此印度呈现出两种看似矛盾的现象，其一表现为中央对教育的权力越来越大，1976年《宪法》修正案就是明证；其二表现为地方上各邦向下

---

① 印度人力资源开发部．国家教育政策（1986）［C］．李军，译．赵中建，校// 瞿葆奎．教育学文集第24卷：印度、埃及、巴西教育改革．北京：人民教育出版社，1991：429-462.

一级机构不断分权。[①]

（一）《国家教育政策》（1986）的规定

20世纪80年代，在印度经济、社会发展的新形势和世界教育改革浪潮的推动下，印度对教育进行了新一轮改革。1985年1月，印度总理拉吉夫·甘地发表广播讲话，宣布要在全国进行一场全面的教育改革。1986年，印度政府公布了《国家教育政策》，力图通过新一轮教育改革，进一步完善国家教育制度，促进教育高质量发展。该文件的第十部分专门论述了教育行政，它设想了中央与邦之间的一种合作伙伴关系。中央的主要职责是确保教育的国家性和统一性，保证质量和标准，进行人力资源规划与开发，开展教育研究，促进文化发展和国际教育。在教育行政机构的调整上，印度将原教育部、文化部、艺术部、青年事务和体育部、妇女和儿童发展部合并为人力资源开发部，作为中央一级的教育行政部门，负责统一管理全国教育事务。人力资源开发部成立后，教育成为人力资源开发的中心环节，在整个国家发展的蓝图中，教育已成为国家优势的保障力量。印度的决策者、教育家、广大教师及所有相关人员已形成一种共识，即：教育是平衡印度社会与经济发展的关键。

《国家教育政策》（1986）还专门对教育管理进行了论述。主要指导思想是“分权”：

> 要优先对教育的规划和管理制度进行彻底检查。指导性的考虑是：
>
> ①制订教育规划和管理方面的长期计划，并且将它与国家的发展和人才需求结合起来；
>
> ②分散权力并创造教育机构自治的风气；
>
> ③对人们的参与，包括非政府机构和民间自发的联合，给予高度评价；

---

① 其实1950年《宪法》虽然规定了教育主要是邦的职责，但是由于初等教育规模大，耗资多，还是国家承担“自本宪法生效之日起10年内为所有儿童提供免费义务教育，直到他们年满14岁为止”的主要责任，因此，普及初等义务教育就成为中央政府、各邦政府、地方以及民间组织的共同职责。

④引导更多的妇女参与教育的规划和管理；
⑤建立与给定的目标和准则有关的原则。[①]

具体规定有：

（1）要建立县教育委员会以管理高级中等阶段以下的教育。邦政府要尽所有可能注意这个方面的工作。在教育发展的多级结构中，中央、邦、县和地方机构都将参与教育的规划、协调、监督和评价。

（2）必须赋予教育机构的领导人员以非常重要的作用。

（3）地方社区将在学校发展计划中通过适当的机构起重要的作用。[②]

（二）《行动计划》（1992）再次倡导组建村教育委员会

《国家教育政策》（1986）之后，教育分权在印度全国得到了一定的实施。1990年，印度人力资源开发部在其一份报告中指出：印度越来越多地通过微观层面规划，使教育发展计划分权化。

《国家教育政策》（1986）只提及教育需要分权，需要地方的参与，包括引导更多的妇女参与教育的规划和管理，但是对不同水平的教育机构的具体结构和职责没有做具体规定，教育分权的效果不够显著。于是，印度制订并实施新国家教育政策的《行动计划》（1992），该计划把普及初等义务教育和成人教育作为优先发展的部分，构建了一个到20世纪末教育发展的框架，而且还提供了一份关于组织、执行和经费筹集的具体职责的行动计划。

《行动计划》（1992）倡导组建村教育委员会，使其对村级的教育行政负责，以管理村级教育、负责微观计划确定学校的位置，确保每个儿童都能充分利用学校设施。建立村教育委员会有助于调动人民参与教育的热情，特别是个人和集体的责任感，从而提高教学效率。具体做法是通过系统的挨家挨户的调查以及与家长的定期交流制订学校的微观计划并确定学校的位置。为使工作得以实施，须给村教育委员会一定的法律、财政和行政权力。这使得村教育委员会作为有一定政治权力和经济实力的机构出现，对村级教育

①② 印度人力资源开发部．国家教育政策（1986）[C]．李军，译．赵中建，校//瞿葆奎．教育学文集第24卷：印度、埃及、巴西教育改革．北京：人民教育出版社，1991：429-462.

事业发展起到了保证作用。[①]

1994年2月15日，印度总理召集各邦和直辖区的教育部长开了一次专门会议。会议着重讨论全民教育、扫盲教育和教育管理的分权问题。会议决定，对于地方社区、邦政府或直辖区政府和中央政府来说，需要的是协调统一和共同的行动；在教育资源的利用中，需要更多社会成员的参与，并要符合优先发展初等教育和成人教育的原则。

① 申金霞．印度初等教育管理的发展趋势[J].世界教育信息，2010（7）：33-35.

第二章　印度教育治理的结构

印度独立后，经过全国上下一起努力，逐渐建立了全国统一的教育制度。现行的学校制度是根据印度教育委员会在1966年提出的在全国各邦推行“10+2+3”的统一学制逐步建立起来的。“10+2+3”学制的年限分配是：10年普通教育阶段，分初等教育阶段（8年）和初级中等教育阶段（2年），其中前8年为义务教育阶段，分义务初小（1—5年级）和义务高小（6—8年级）两段；2年高级中等教育阶段，分学术型和职业型；3年高等教育第一级学位阶段，即本科教育。

经过独立后70多年的教育发展，在承继殖民地教育治理传统的基础上，印度基本形成了具有印度特色的教育治理模式：中央和各邦对教育共同负责，基础教育以各邦为主，高等教育以中央为主。在此模式下，印度形成了特色鲜明的教育治理体系：以《宪法》为代表的法律法规是教育治理的根本，以人力资源开发部为代表的教育管理部门是教育治理的直接责任主体，以全国教育研究和培训委员会为代表的教育咨询委员会是教育治理的政策咨询主体，以村教育委员会、家长、企业、非政府组织为代表的社会力量是教育治理的监督主体，共同服务于印度教育的发展。

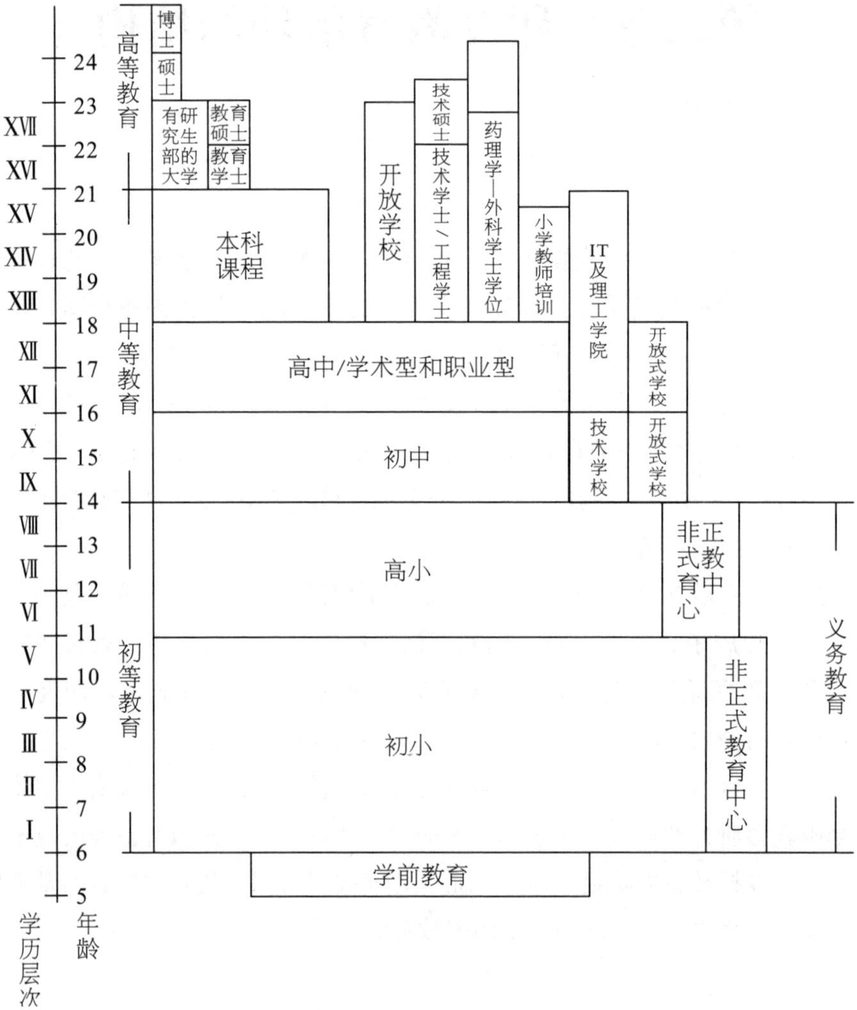

图 2-1　印度学校教育结构

资料来源：转引自印度教育委员会《印度全民教育报告》，2005，p5.

第一节　法律框架下教育治理的结构

独立后，为了尽快摆脱殖民地时期的落后面貌，印度上下都十分重视教育，尤其注重把教育的发展纳入法治轨道。为了彰显发展教育的严肃性，印度确立了以法律为准绳的教育治理原则。印度的新宪法于1950年1月26日起生效，其中就有诸多关于教育的条款。此后，印度不断制定出台了多种多样的法律法规，规范和推动教育的发展。时至今日，以《宪法》为代表的法律法规是印度教育治理的根本。

一、《宪法》中有关教育的条款

印度的新宪法于1950年1月26日起生效之后，其后又根据国家发展形势进行多次修订，到2016年已经是第101次修订。《宪法》中关于教育的条款明确表述了印度的基本教育政策，对印度教育的目标和原则做出规定。

（一）1950年《宪法》的相关规定

1950年的《宪法》规定，教育原则上由各邦管理，实行地方分权，但联邦教育部通过对邦政府的经费支持，在促进教育的发展与消灭全国之间的差距等方面起指导作用。

1. 免费义务初等教育

根据国家政策指导原则第45条规定：国家应努力在自本《宪法》生效之日起10年内为所有儿童提供免费义务教育，直到他们满14岁为止。

这一条中出现的“国家”一词，在第12条里被定义为包括“印度政府和议会，以及在印度领土内或由印度政府管辖的地方权力机构或其他权力机构”。这样，普及初等义务教育的任务就成了中央政府、各邦政府、地方机关以及民间组织的共同职责。

在初等教育方面，联邦政府具有一些重要的作用：（1）作为协调机构；（2）开展初等教育的研究；（3）发起试点项目；（4）消除各邦之间的差别并保证机会均等；（5）对欠发达的邦提供财政援助。

2. 少数民族创办和管理教育机构的权利

《宪法》第29条和第30条规定：少数民族，无论是基于宗教的还是基于语言的，具有一定的文化权利和被教育权利，以创办和管理它们自己选择的教育机构。

第29条：

1. 居住在印度领土内的任何有自己独特的语言、文字或文化的公民，都有保留自己语言、文字和文化的权利。

2. 每一个公民都不能因为宗教、种族、种姓、语言或其中任何一个理由而被禁止入读公立或接受国家经费资助的教育机构。

第30条：

1. 所有少数民族，不论是基于宗教的还是语言的，都有创办和管理教育机构的权利。

2. 国家不应在对教育机构拨款时歧视无论是宗教或语言性少数民族所管理的教育机构。

第350条A：

各邦及邦属地方机构必须向属于语言性少数民族的儿童，在其初等教育阶段，提供适当的设备以进行母语教学。

第350条B：

1. 总统应当针对语言性少数民族委派特别官员。

2. 特别官员的职责是审视宪法所保障的语言性少数民族的各项事务，并向总统报告，总统应当把上述报告提交议会并送达各部。

这些条款保证少数民族的利益受到保护。少数民族宗教、语言、文字和文化被正式承认。

3. 低弱阶层的教育

《宪法》第15、17和46条保护印度社会中的低弱阶层，即社会上和教育上落后的市民阶层以及表列种姓和表列部落的教育利益。

第46条：

国家应特别关心并促进弱势群体的教育与经济利益，尤其是表列种姓和表列部落的教育与经济利益，保护他们免受社会歧视及各种形式的剥削。

政府还为残疾人的教育设立了特殊学校。

根据第15条第3款，国家可以为妇女和儿童的教育制定特殊规定。

4. 世俗教育

印度是一个世俗国家，每一种宗教都有权宣传和传播其宗教思想。《宪法》第26条第1款保证所有公民有信仰自由的权利和皈依宗教、从事宗教活动和传教的权利。

第28条第1款规定：

> 任何完全由国家出资开办的教育机构，不得进行任何宗教教学。

第28条第2款规定：

> 第1款中的内容不适用于虽由国家管理但却为进行宗教教育捐赠或信托投资而建立起来的教育机构。

第28条第3款规定：

> 不得要求任何由国家承认的或接受国家经费的学校中的学生修习可以在这类学校开设的任何宗教教育和参加可以在这类学校或任何附属机构中举行的任何宗教礼拜，除非这些学生尚未成年而其监护人同意这样做。

各邦及各邦地方政权应尽力为少数语种集团的儿童提供在小学阶段进行母语教育的方便条件。总统认为必要和适当时，各邦可发出指示以保障提供这种方便。

（二）《联邦条目》《邦条目》和《并行条目》的相关规定

根据《宪法》，国家立法权被划分为中央、各邦及二者共同行使三个部分。各方的教育立法权就对应在这三种条目中：《联邦条目》（《条目I》）包括涉及国家重大利益的细目，《邦条目》（《条目II》）包括涉及地方利益的细目，《并行条目》（《条目III》）包括与中央和各邦都有关的细目。

1.《联邦条目》规定的中央一级在教育发展中的职权：

第 63 项：经法律宣布为中央重要单位的国立大学（贝拿勒斯大学、阿利加尔大学、德里大学、圣蒂尼克坦大学、东北山区大学和贾瓦哈拉尔•尼赫鲁大学）和其他院校。

第 64 项：部分或全部由国家资助并经法律宣布为全国重要单位的各个科学和技术教育机构。

第 65 项：为以下目的而创办的联邦机构和院校：专业、职业和技术培训，包括警官的培训；促进特殊的学科或研究；用于刑事调查和侦察中的科学或技术手段。

第 66 项：高等教育和研究机构中标准的协调和确定。

2.《邦条目》规定的邦一级在教育发展中的职责：

第 11 项：包括附属于《联邦条目》中的第 63、64、65 和 66 项以及《并行条目》第 25 项规定的大学在内教育应属各邦的职权范围。

第 12 项：各邦的管辖权包括由各邦控制或资助的图书馆、博物馆和其他类似机构以及古迹和史料（不包括那些经宣布为全国重要文物的古迹和史料）。

3.《并行条目》规定的中央和邦在教育发展中的共同职责：

第 25 项：职业和技术培训。

（三）1976 年《宪法》第 42 修正案

该修正案规定，把由各邦控制的教育事务划归《宪法》中的《并行条目》，中央和各邦拥有制定教育政策的相等地位，因中央制定全国性的教育政策，中央在颁布与教育有关的立法上比邦拥有更大的权力。这反映了这一时期印度加强中央集权的要求。该修正案改变了以往教育主要由各邦负责的做法，规定教育由中央和各邦共同负责。中央政府继续负责管理中央所属大学、国家重点学院和其他科学技术学院，并负责提高落后地区的教育水平。[1]

（四）1992年《宪法》第73和74修正案

受世界20世纪80年代后分权化改革的影响，印度1992年通过、1993年正式生效的第73和74《宪法》修正案规定，各邦政府必须向地方政府潘查亚特移交公共事务的管理权力和财政权力，这就意味着在县、乡、村层级上谱查亚特在教育事务上发挥重要作用，社区主要通过村教育委员会和家长教师协会参与学校管理，如此就调动了全社会参与教育的积极性。

总体来看，印度《宪法》开始主张教育主要是邦的职责，但后来随着形势的发展，开始强调教育由中央和各邦共同负责，由于中央政府拥有对各邦发号施令的行政权力，实际上在教育上中央的权力已经超越了各邦，居于主要地位。这既是中央和各邦权力博弈的结果，也是教育地位越来越重要的反映。

二、其他全国性的教育法规

印度在教育方面除了《宪法》外，还制定了很多全国性的教育法规。独立之后，印度为推动教育发展，一直着力强化立法体系建设，在普通教育和高等教育领域颁布了诸多法律。印度人力资源开发部设学校教育与扫盲和高等教育两个司局，通过设立法定专业机构，将专业性较强的业务和标准制定从政府职能中剥离出去，实现教育治理的法定化和专业化。[2]

印度具有代表性的全国性教育法律法规如下：

表2-1　印度全国性教育法律法规一览表

法案名称	颁布年份
大学拨款委员会法	1956
专利法	1957
印度理工学院法	1961

① 王长纯．世界教育大系·印度教育[M]．长春：吉林教育出版社，2000：101.
② 李建忠．印度：依法治校“挑大梁”[N]．中国教育报，2014-11-19（4）.

续表

法案名称	颁布年份
学徒法	1961
建筑法	1972
英迪拉·甘地国家开放大学法	1985
印度技术教育委员会法	1987
全国教师教育委员会法	1993
全国少数民族教育机构委员会法	2004
国家技术学院法	2007
国立大学法	2009
儿童免费和义务教育权利法	2009
学校规划和建筑法	2014
印度管理学院法	2017

资料来源：http://mhrd. gov. in/acts-higher，2017-08-20.

有些法律法规过于超前，因此迟迟不能实现，反而损害了法律的权威性。特别是对于义务教育来讲，《宪法》（1950）规定“国家应努力在自本《宪法》生效之日起10年内为所有儿童提供免费义务教育，直到他们满14岁为止”，但是到20世纪末，印度的义务教育普及率仍然很低。在全民教育计划的压力下，21世纪伊始，印度又制定了新的法案，以保证实现免费义务教育。2002年修订的《宪法》明确承认了受教育是印度每一个孩子的基本权利。2009年制定了《儿童免费和义务教育权利法》，法案规定将为6—14岁的所有儿童提供质量满意的免费义务教育，并作为他们的一项基本权利。免费教育意味着任何一名儿童都无须向学校交付任何费用，法案还承诺通过在社区设立学校，增加儿童上学的机会。法案自2010年4月1日起生效，大部分邦政府为执行这一法案还制定了邦内部的专门制度。

《儿童免费和义务教育权利法》的显著特征①：

·免费教育——免收学杂费、人头费；

·所有学校都将得到承认；

·入学：不设立入学考试或遴选程序，不延迟入学，不制定惩罚措施；

·在每一社区建立一所学校；

·学校基础设施：全天候校舍，每位教师一间教室，图书馆，校长办公室，洗手间，饮用水，无障碍通道，操场，篱笆，围墙；

·教室配备：师生比，受训教师，不允许私人辅导。

自2010年以来，印度教育部门起草了8部立法草案，以法治方式解决教育发展改革中出现的新问题。其中，《印度国家认证监管局法草案》提出设立高等教育质量国家监管局，规定所有高等教育机构都必须接受强制认证，监管局全程监管评估和认证，从源头上保证教育质量。《印度信息技术学院法草案》为发展信息技术教育，培养能与国际接轨的信息技术人才，提出设立若干所印度信息技术学院，作为国家重点院校，采用“公私合作伙伴关系”模式设立或组建，坚持办学公益性，每所学校都必须是非营利法人实体。②

第二节　教育行政部门与教育治理

独立后的印度实行联邦制，目前全国有29个邦、6个联邦属地及1个中央直辖区。行政体制主要分为联邦（中央）和邦两级。印度全国的行政体系，主要由联邦、邦、县或自治市（镇）、乡、村构成。教育行政体系也基

① 吉安德黑拉·提拉克．印度：新自由主义时代的教育改革[C]// 王燕．G20成员教育政策改革趋势．北京：教育科学出版社，2015：36-59.

② 李建忠．印度：依法治校“挑大梁”[N]．中国教育报，2014-11-19（4）．

本照此设置。但居于中心地位的、起主要作用的是联邦和邦。在印度，联邦政府、邦政府都有管理教育的部门。从管理的对象看，联邦政府的主要责任是协调高等教育和技术教育机构的设立与运作标准；各邦的职责主要是落实初等和中等教育。从教育机构上看，大学实行自治，中小学及相关成人教育机构由各邦管理。各邦在国家教育政策的基本原则框架内，有权决定自己的教育结构，有权确定课程和教材以及根据自己的规章制度对教育进行管理。目前，印度主要存在三个级别的教育行政，即：中央教育行政、邦教育行政、地方教育行政。

一、中央教育行政

根据《宪法》规定，原则上，中央政府在教育方面的权限主要包括：管理和维持全部或者部分由中央政府拨款的大学和其他教育机构以及由议会立法批准的全国重点院校；协调与制定高等教育和科学研究机构的设立与运作标准；推进印地语的传播和发展；建立国家级的职业技术培训机构；建立国家级专门研究的机构；为所有印度儿童提供免费的义务教育直到他们年满14岁。①

中央教育行政机构现为人力资源开发部，下设学校教育与扫盲和高等教育两个司。于1985年9月26日成立。人力资源开发部的主要目标是：制定国家教育政策，并确保其在全国的执行和实施；制订发展计划，增加受教育机会及提升全国教育机构的质量，包括那些上学不易的地区；对社会弱势群体包括贫穷人口、女性和少数民族的受教育机会予以特别关注；以奖学金、贷款补助等形式给社会弱势群体学生提供财政支持；鼓励教育领域的国际合作，包括与联合国教科文组织、外国政府及大学进行密切合作，以此来提升国家范围内的受教育机会。②

学校教育与扫盲司的主要职责有：与各邦合作，加强教育的国家性和综合性；提高学校教育和扫盲的质量及标准；普及基础教育；提高接受高质量

---

① 安双宏．印度教育战略研究[M]．杭州：浙江教育出版社，2013：36.

② About MHRD[EB/OL]. [2018-08-01]. http://mhrd. gov. in/about-mhrd.

中等教育的机会；建立人人接受教育的体制；通过扩大学校网，不管是利用现有的还是新建学校，增加接受学校教育的途径；为那些长期被剥夺的不利群体与弱势群体增加接受公平中等教育的机会；确保中等教育质量和提高教育标准；构建能够激发孩子才华的世界级水平的中等教育课程。

高等教育司的主要职责为：在政策和计划制订方面，负责高等教育部门基础设施的全面发展。在人力资源开发部领导下，高等教育司通过创建世界一流的大学、学院和其他机构来努力促进高等教育受教育机会的增加及教育质量的提高。在公平和包容的前提下，充分发掘高等教育领域印度的人力资源潜力。其当前的主要任务是：为所有有能力接受高等教育的人特别是弱势群体提供接受高等教育的机会；努力消除目前存在的高等教育的区域差异；启动政策和计划加强研究和创新，鼓励公共或私人机构参与拓宽尖端知识领域的研究；通过投资基础设施和师资力量、促进学术改革、改善治理和针对迄今贫困社区的制度重建来提升高等教育的质量。

中央教育行政部门最重要的任务是制定全国性的教育政策，其制定的影响印度教育发展的两个政策是《国家教育政策》（1968）和《国家教育政策》（1986）以及《行动计划》（1992）。①

二、邦教育行政

在印度，邦的主要教育职责是：在全国教育发展计划的指导下，结合本地区的实际情况，不断改善本邦的教育水平。同时，邦还是中央与地方联系的中间环节和桥梁。邦教育行政部门主要是教育部（局）和教育秘书处。

1. 邦教育部（局）

早在英属殖民地时期，印度就确立了各邦教育部的基本结构。但是这一机构是为殖民统治服务的，其设计的目的和作用是十分有限的。印度独立后，《宪法》（1950）规定教育为各邦的职责，邦教育部作用有所加强。

① 有学者称印度已经颁布过三份国家教育政策（赵中建《战后印度教育研究》第 51 页），由于 1979 年《国家教育政策草案》未能实施，因此，本书不将其计入在内。

邦教育部负责制订本邦所有的教育发展计划，它的主要职责包括[①]：

（1）制订发展中小学教育的一揽子计划，包括定期修改和更新课程，编印教科书、教师手册和其他教学材料以及改进教学和考试方法。

（2）征求邦中小学教育委员会及邦评价组织的意见，规定学校所应达到的各项标准，并通过督导、经费和后勤等来确保它们的实行。

（3）负责配备教师，拟定教师的工资、退休金和工作条件；以适当的方式来组织教师的培训；吸收和派遣适当的人员来建立、指导和资助高质量的教师培训机构。

（4）直接派人员或间接地由邦中小学教育委员会的专设机构对学校进行监督，或两者共同进行。

（5）建立并维持邦评价组织，以负责平衡邦内各地区的考核标准，并帮助修订中小学毕业时的国家考试标准。

（6）鼓励、指导和帮助地方当局更好地管理学校教育，维持学校各个阶段的质量标准，经常有计划地对这些学校予以帮助，以保证其质量不断提高。

（7）建立和维持邦教育学院，建立学院的目的是通过适当的学术研究、培训和帮助，促进地方当局及督学改进学校的各项标准。

（8）合作并逐步过渡到承担中小学阶段的各种职业及技术教育。

印度教育发展名列前茅的喀拉拉邦的教育主管部门名称为普通教育部，主要负责学前教育、中小学教育以及教师培训等事务。

2. 邦教育秘书处

邦教育秘书处是邦教育部下属的一个重要的教育管理机构。它设有秘书一职。邦教育秘书与中央一级的教育顾问相似，其职位由一位知名教育家来担任，且有一定的任期。教育秘书主要从事行政、财政和教育问题的检查工作。喀拉拉邦秘书处由一位秘书和三位助理秘书组成，三位助理秘书分别称为辅助秘书、联席秘书、副秘书。

---

① 王长纯．世界教育大系·印度教育[M]．长春：吉林教育出版社，2000：128–129.

三、地方教育行政

在印度，邦以下设有县或自治市（人口在10万以上的大城镇），县以下设乡，乡以下是自然村。它们是地方一级行政单位，在教育行政上，地方一级主要是县级负责管理，管理对象包括初等教育，也包括小部分中等教育。

在地方一级，具体负责教育事务的机构是县教育委员会（也称县教育局）或自治市教育委员会。县教育委员会根据邦政府的有关规定，申请政府拨款，向各类学校发放，并制订县级范围内的教育发展计划。

县教育委员会的人员由以下几部分组成：各乡选出的代表；以法定的方式选出的县或自治市的代表；由邦政府任命的或由乡推选且经邦政府同意的人员或著名教育家；由其他行政部门，如工业部和农业部中与教育管理相关的行政人员中选出的官员。

其中第一和第二类人员约占一半，其他类人员约占一半。邦政府的一位高级官员担任该委员会的专职秘书。该委员会为专职秘书配备必要的管理和督导人员。

第三节　全国性教育咨询委员会与教育治理

除了法律对教育发展的基础性作用、教育行政管理部门出台的教育政策对教育发展的直接作用，印度还存在着众多全国性的教育咨询委员会，对教育发展起着不可替代的作用，这也是印度教育治理体系中不可或缺的一环。

在中小学教育领域的全国性教育咨询委员会有中央教育咨询理事会、中央教育技术研究所、全国教育研究与培训委员会、全国开放教育研究所、全国教师教育委员会等；在高等教育领域的全国性教育咨询委员会包括印度技术教育委员会、建筑委员会、印度历史研究委员会、印度哲学研究委员会、印度社会科学委员会、大学拨款委员会等。它们都是法定自治机构，负有相应的职责。

一、全国教育研究与培训委员会

全国教育研究与培训委员会是印度于1961年组建的一个全国性的教育自治组织，当时由几个机构组建而成，包括：中央教育研究所（成立于1947年）、中央教科书研究署（成立于1954年）、中央教育与职业指导署（成立于1954年）、中央教育计划局（成立于1958年）、全国基础教育研究所（成立于1956年）、全国视听教育研究所（成立于1959年）。[①]主要任务是：组织、推进、协调中小学教育领域的研究；编写、出版教科书、教辅读物；开发数字教育资源；负责教师职前职后一体化教育；推广创新教育技术的实践；协调各邦教育部门、大学、非政府组织和其他教育机构就中小学教育方面政策和计划向中央和各邦政府提出建议和咨询；承担与其他国家中小学教育领域文化交流任务。

全国教育研究与培训委员会的运作主要依靠以下委员会：执行委员会、全体董事会、编制委员会、财务委员会、监督委员会等。

二、中央教育咨询理事会

中央教育咨询理事会最初成立于1920年，1994年被解散，2004年7月重新设立。

中央教育咨询理事会是印度最高的教育咨询机构。该委员会的主要职责是就教育问题向中央和地方政府提供咨询意见。此外，中央教育咨询理事会还定期召开会议，制定教育计划的基本方针，对各级各类教育部门的工作进行评估，并为改进教育工作提供指导意见。

该机构的主席由人力资源开发部部长兼任，成员包括社会各界代表、议会上下两院选举出来的代表以及中央政府有关部委、各邦政府主管教育的官员。该机构是讨论全国教育改革与发展问题的论坛，经它通过的报告提交给中央政府有关部门后通常会被批准成为全国性政策。

《国家教育政策》（1986）进一步强调了中央教育咨询理事会的作用，

① National Council of Educational Research and Training . Leading the Change: 50 Years of NCERT [EB/OL]. [2017-08-20]. http://www. ncert. nic. in/oth_anoun/leading_the_change. pdf.

规定：

> 中央教育咨询理事会将在检视教育发展、确定教育体制改进所需要的变革和评估实施方面起枢纽作用。它将通过创建适当的委员会和其他机制行使职责，确保与人力资源发展各部门之间的联系和协作。中央和邦的教育部门都将因为专业人员的参与而发挥更大作用。①

三、全国教师教育委员会

1973年5月，印度全国教师教育委员会成立。作为全国教师教育的咨询和评估机构，自成立以来，全国教师教育委员会一直致力于提高国内教师教育的质量，负责向中央和邦政府提供有关教师教育问题的建议。成立之初的全国教师教育委员会仅具有议事的职能，没有实施指导方针的权力，因此发挥的作用有限。1986年新的《国家教育政策》出台，强调印度需要建立一个全国性、固定的教师教育管理机构，以保证其在提高教师教育质量中发挥实质的指导作用，在此背景下，全国教师教育委员会面临新的要求，并酝酿新的发展。1995年5月，《全国教师教育委员会法》正式生效。此后全国教师教育委员会被认定为全国性教师教育管理机构。②

全国教师教育委员会的成员构成十分广泛，除各邦政府的代表外，中央教育咨询理事会、全国教育研究与培训委员会、大学拨款委员会、印度技术教育委员会等都有代表参与，此外还包括指定的各领域教师教育专家多名。在其倡议下，各邦先后成立了各地的教师教育委员会。

当前全国教师教育委员会的职责涵盖广泛，涉及从学前教育到高等教育的整个教师教育体系。其具体职能包括以下几个方面：

1. 研究和建议

承担与各种教师教育相关的研究和调查任务，并负责公布其结果；为中

---

① Minitry of Human Reaource. Development National policy on Education，1986 [R]. 133.

② Introduction [EB/OL]. [2017-08-18]. http://ncte-india. org/ncte_new/? page_id=782.

央和邦政府、大学以及其他机构提供有关教师教育的项目规划和发展建议，协调并指导全国范围内教师教育的发展。

2. 师资培训

对教师开展培训，使其能够胜任初级小学、高级小学、初级中学、高级中学、非正式教育、函授教育、成人教育和远程教育等各级各类教育的教学工作；对各种水平的教师教育及培训机构进行规范，成立新的教师发展项目机构。

3. 课程改革与更新

制定教师教育培训课程方案和框架，提供课程培训方案，并注意课程与印度文化、民族团结、体育运动、教育技术的采用等方面相结合。

4. 制定并规范标准

制定中小学教师最低任职标准、培训机构的规范指标、教师教育培训课程的最低准入标准、教师教育资格考试标准、参加资格考试的准入标准、学费和其他机构收费标准等。

5. 建立评估体系

推动实施合理的评价体系、制度机制，定期对委员会制定的各种章程、标准进行评估，并为其他机构提供建议。

四、印度技术教育委员会

印度技术教育委员会成立于1945年，最早作为中央政府教育部的咨询机构建立，旨在对国家技术教育设备与资源进行调查，促进职业技术教育体系以综合性和协调性的方式发展。1987年通过的《印度技术教育委员会法》规定其构成与职责为：负责规划和协调发展印度技术教育和管理教育体系。印度技术教育的种类包括工程、技术、建筑、城市规划、管理、医药、酒店管理等。

印度技术教育委员会总部位于新德里人民大道Chanderlok大厦7楼，成立之初仅在四个邦设有办事处，目前在加尔各答、晨奈、坎普尔、孟买、昌迪加尔、哇哈、博帕尔、班加罗尔、海得拉巴和古尔冈设有地区办事处。

就印度技术教育委员会的任务而言，《印度技术教育委员会法》认为，印度技术教育委员会应该对印度职业技术教育进行不同层次的研究，对印度职业技术教育的数量和规模进行合理规划，并为技术教育系统制定各项学术标准，以保证职业技术教育的质量；此外，印度技术教育委员会有权颁布技术教育领域中文凭证书和学位的授予标准，以及硕士学位课程和博士学位课程的设置标准。总之，印度技术教育委员会一方面要通过诸多措施保证职业技术教育的良好运行与优化发展，另一方面也要通过相关标准的制定与完善促进职业技术教育质量的不断提升与改进。①

印度技术教育委员会组织架构为：全体理事会、执行委员会、地区委员会、印度技术研究理事会等，全体理事会由51人组成，执行委员会为21人，在全体理事会中推举产生，目前地区委员会有8个，印度研究理事会有10个。②

五、大学拨款委员会

印度大学拨款委员会是印度中央政府管理高等教育的机构，该委员会的主要权力是协调和决定大学的教学、考试、研究标准和新大学的建立，于1953年成立。1956年，印度议会通过《大学拨款委员会法》，使该委员会正式成为协调和维持高等教育标准的法定机构。1972年，印度大学拨款委员会在组织上又得到加强，获得了更大的职权。

《大学拨款委员会法》第12条规定：

> 委员会的一般职责是与各大学或其他有关的团体协商，采取它认为应该采取的一切步骤，促进和协商大学教育的发展，决定和维持大学的教学、考试和科学研究的标准。③

印度大学拨款委员会是印度高等教育管理的最高实体。为了更好地对全

---

① India Ministry of Law and Justice . The All India Council for Technical Education Act，1987 [EB/OL]. [2017-08-23] http://mhrd. gov. in/sites/upload_files/mhrd/files/upload_document/AICTE.pdf.

② About Us [EB/OL]. [2017-08-23]. http://www. aicte-india. org/aboutus. php.

③ 曾向东 . 印度现代高等教育[M]. 成都：四川大学出版社，1987：190.

国的院校进行管理，大学拨款委员会成立了7个地区办公室，以便在全国不同地区的院校中开展大学拨款委员会的活动。在它的努力下，印度的高等教育获得较快发展。在印度获得独立时，只有25万名学生能够接受高等教育，到2019年，这一数字大约增长了150倍，达到3 740万之多。大学拨款委员会不断地引领印度的高等教育更上一层楼，使它与世界最高水平的高等教育并驾齐驱。

第四节 社会参与系统与教育治理

在印度，以《宪法》为代表的法律法规是教育治理的根本，以人力资源开发部为代表的教育管理部门是教育治理的直接责任主体，以全国教育研究与培训委员会为代表的教育咨询委员会是教育治理的主要力量和方案提供者，除此之外，教育治理体系还包括必不可少的一环——社会力量。独立之初，印度就十分强调社会力量参与教育的重要性，20世纪80年代后在新自由主义的影响下，更为重视社会力量参与的深度和广度。大体上来说，印度社会参与教育治理的各方包括村教育委员会、家长教师协会、企业、非政府组织等，以上各方发挥着各自的作用，一起服务于印度教育的发展。

一、村教育委员会

村教育委员会的设立是印度教育分权化的结果。1992年《宪法》第73次修正案规定每个潘查亚特都可组建村教育委员会，负责管理村教育事务的计划、方案等。村教育委员会负责村级教育微观层面计划的执行，为所有村内的孩子接受初等教育而努力工作。县教育培训学院提供专家支持和专业指导。

二、家长教师协会

印度不少家长对孩子教育的重视不够，这些家长倾向于认为他们把孩子送到学校就完成了任务，孩子上学之后的教育则应该完全由学校负责。20世纪90年代之后，印度越来越重视家长对教育的参与，认为父母是学校运作的主要利益相关者，父母对孩子教育的参与对孩子的整体发展至关重要。基于此种认识，印度要求中小学校都要成立家长教师协会。印度普遍认为家长教师协会发挥着独特的作用，可以把家长和老师团结在一起，互相了解，并共同合作，共同促进学生的发展。家长可以通过家长教师协会了解学校的运作情况，学校所面临的问题以及如何通过家长的合作和参与来克服这些问题。通过家长教师共同的努力，为社会培养出受过良好教育和具有社会责任感的学生。

德里教育局规定家长教师协会的目的和目标是：在家庭、学校和社区中促进儿童的福祉；增进家长和老师之间的相互了解；在家长和老师之间建立关于学校和儿童福利的意识；向父母提供建议，并使他们意识到他们对孩子的责任；为创造学校与社区之间的和谐关系而努力。

家长教师协会的机构为全体委员会和执行委员会，所有学生的父母均应作为全体委员会的成员，校长和教师应为当然成员；执行委员会由全体委员会委员选举出来的成员组成，包括主席1人（校长）、副主席2人（1名男性，1名女性。其中，1名成员来自父母，1名成员来自教师）、秘书1人、秘书助理2人（1名男性，1名女性。其中，1名成员来自父母，1名成员来自教师）、会计1人、其他成员9名（其中，5名成员来自父母，4名成员来自教师）。全体委员会会议至少应每年举行一次，执行委员会可以随时召开，但至少每两个月一次。①

三、母亲教师协会

母亲教师协会是政府认可的机构，通过该机构，女性可以参与到学校的管理和发展中。母亲教师协会是县初等教育计划下分权管理结构的一部分，而2009年《儿童免费义务教育权利法》又是承认社区在学校教育治理作用的

① DIRECTORATE OF EDUCATION (ACT BRANCH).Guide Lines For Constitution of Parents Teachers Association In Aided / Unaided Schools[EB/OL].［2018-06-08］. https://www.actcommittee.com/wp-content/uploads/2016/05/order_12.2.2010.pdf.

历史性步骤。《儿童免费义务教育权利法》非常重视母亲教师协会作为分权化组织的作用，尤其重视母亲将在其中扮演的非常重要的角色。该法规定，母亲教师协会应当接受邦政府的批准，每所学校都必须成立，以代表母亲、教师、社区和地方政府人员督导学校工作，规划并促进学校整体发展。母亲教师协会通过建立学校和家庭之间的联系在促进学校各项工作开展方面发挥着重要作用。

母亲教师协会的主要职责有：提高儿童入学率和参与率；举行定期会议，以确保社区的合作；为普及基础教育开展活动和帮助；监控儿童的学业成绩；帮助组织学校展览会，节日等活动；通过使父母意识到教育的重要性去创造积极的学习环境；安排针对女孩的游戏和体育培训项目；分发中餐；解决女孩面临的特殊困难。协会由学校所有女教师和所有学生母亲组成。这些母亲中有一位担任主席，学校校长担任秘书长。

四、企业

印度企业经常以各种形式参与教育活动，或者创办学校，或者捐资。企业对教育的参与也是印度促进教育发展的重要因素。例如印度最大的私营企业塔塔集团就非常重视教育。现在，塔塔集团至少有100多家企业，员工40多万人。从事的领域涉及高铁、汽车制造、电力、机械、制药、计算机软件、金融业等，是世界500强之一。塔塔集团1921年建立了冶金学院，后改名技术学院，专门培养技术工人。它还重视学徒培训，每当公司新建厂房时，竖起的第一座建筑物就是学徒的培训教室和宿舍。早在1973年，世界银行的一份报告就称赞塔塔集团旗下的机械机车公司的学徒制培训计划是世界上最好的教育计划之一。[①]

五、非政府组织

非政府组织是政府管理教育之外印度教育治理的重要补充形式。在印

---

① 张双鼓，薛克翘，张敏秋．印度科技与教育发展[M]．北京：人民教育出版社，2003：201-202.

度，非政府组织众多，其中在教育方面最为典型的就是印度布拉罕协会。该协会成立于1995年，成立之初主要是为贫民窟儿童提供学前教育，培养他们的读写和算术能力。目前，布拉罕协会是印度最大的非政府组织之一，遍及印度23个邦，并在美国、英国、德国和阿联酋设有分会。2013年，布拉罕协会在全球顶尖非政府组织中排名第28位。目前，其工作内容是为印度弱势儿童群体提供高质量的教育，弥补政府提供的主流教育的不足。[①]

布拉罕协会创始人及现任总裁马达夫·查万在美国取得博士学位之后，1986年回到印度，在孟买大学担任化学教授。他发现，教育的缺失是阻碍印度发展的主要原因，只有更高效率地解决这一难题才能有助于实现当地的全面发展。1995年，他建立了布拉罕协会来普及全民基础教育。现在该协会每年能使印度近300万小学生从中受益。查万本人也获得了诸多荣誉，是2011年斯科尔社会企业家精神奖得主，并于2012年获得世界教育创新峰会教育个人贡献奖。

① About Us. [EB/OL]. [2017-08-26]. http://www. pratham. org/about-us/about-pratham.

第三章　印度教育治理的运行机制

印度教育治理的运行机制可以概括为四部分：第一，作为教育治理的根基，法律体系奠定了治理基础；第二，教育行政部门具体开展治理；第三，以全国性教育咨询委员会为代表的半行政机构引导各自领域的教育治理；第四，社会多方力量协助参与教育治理。

第一节　法律奠定治理基础

印度独立后，国家对于教育的管理一直是在法律的指引、调控下进行的，法律体系的建立奠定了印度教育治理的基础。具体来说，其法律基础包括《宪法》规定、专门法规定和司法实践，完整的法律体系平衡了公民权利与国家教育治理之间的冲突，保障了印度教育的可持续发展。

一、国家教育权与立法

国家教育权不是指公民的受教育权，是指政府通过国家权力行使教育权，是相对于家庭教育权、社会教育权而言的。[①]公民受教育权是一项基本人权，自1919年德国《魏玛宪法》首次规定以来，世界上大多数国家都将之规定为公民的基本权利。它主要包括三个方面：学习的权利；义务教育的无偿化；受教育的机会均等。[②]公民受教育权和国家教育权不可分离，一方面，公民不但有权利而且国家有义务保障公民充分享有受教育的平等机会；另一

① 秦惠民．走入教育法制的深处：论教育权的演变[M]．北京：中国人民公安大学出版社，1998：2.

② 许崇德．宪法[M]．北京：中国人民大学出版社，1999：181.

方面，由于教育在当今已成为推动经济社会发展的主要动力，从而使得各国政府有动力构建完备的社会保障体系，确保公民生存权的实现，因此，国家有权力要求公民接受教育，并对教育事务及其相关事务进行管理，其中最重要、最基本的是办学权和教育管理权。

国家管理教育最早可追溯到古希腊时期，柏拉图在《理想国》表达了其教育观点，主张取消私人办学，对全体公民实施强迫教育，其学生亚里士多德也同样有这样的论述。[①]现代国家教育权主张发端于德国16世纪的宗教改革运动，马丁·路德首先提出文化教育是国家的职责；后来在18世纪的法国启蒙运动中，国家教育权的思想得到广泛的宣传，无论是卢梭、伏尔泰还是爱尔维修、狄德罗，都主张教育权属于国家，倡导改变教会控制教育的状况；英国经济学家亚当·密斯在《国富论》中鼓吹国家教育权，认为传统上国家不过问教育会严重影响生产利润的提高和劳动力的发挥，应当对民众进行强制教育。[②]

印度的近代教育模式最初为英国殖民地教育模式，1947年独立后走上独立自主的发展道路。印度的教育治理伴随着国家教育权的确立而逐步发展完善。19世纪40—50年代，英国殖民当局开始创办高等学校和中学，成为印度近代官办学校的开端，印度近代意义上的教育行政也随之出现。1854年，《伍德教育急件》颁布后，印度教育行政得到一定加强，第一次明确承认英帝国政府对印度公共教育事务负责，《伍德教育急件》在某种意义上起到了“印度近代教育基本法”的作用。殖民地时期，印度的初等教育、高等教育法律也开始逐渐颁布、生效，1918年在孟买通过的《巴特尔法案》是实行初等教育制度的开始；1921年殖民地印度各邦都相继颁布了初等义务教育法[③]；1904年，帝国立法委员会通过《印度大学法》，该法加强了殖民政府对印度高等教育的控制，但也一定程度上扩大了大学的自治权限，赋予其“认可”

① 张斌贤．西方教育思想史[M]．成都：四川教育出版社，1994：66.

② 王柱国．美国教育管理的法律基础[J]．中国社会科学院研究生院学报，2004（4）：44-49.

③ 实际上，由于各邦之间存在着社会经济、宗教传统、文化习俗等方面的差异，初等义务教育法并没有真正地加以贯彻实施。

中学和管理大学人、财、物的各种权力。①

随着印度民族教育的发展，1885年国大党成立后，大力推广印度现代教育，国家教育权的思想开始逐步形成。如印度著名诗人泰戈尔就积极投身民族教育运动，主张独立办教育。独立后的印度，对原有殖民地时期的教育进行改造，逐步形成了在中央统一指导下，以各邦为主的教育行政体制，先后颁布多项法案和决议对教育进行管控。1950年《宪法》就规定了关于教育的权利，成为当时印度政府发展教育的指导原则，1968年、1986年两部《国家教育政策》推进了教育行政管理方面的多项改革，强调了中央政府除了《宪法》赋予的基本职责外还应在教育的发展中扮演主要角色。印度以通过《宪法》修正案的方式，把起初主要由邦承担的教育职权调整为联邦和邦共同管辖的并行职权，从而使联邦根据《宪法》获得了更多的教育立法权。除了各种教育法律法规，联邦政府公布的教育方针政策也具有很大的行政法律效力。除联邦政府制定的法律外，各邦还通过了许多重要的法令，比如各邦根据《宪法》提出的普及初等教育的要求纷纷颁布义务教育法，教育部门、学校和公民都要必须遵守，国家对教育治理的立法也日趋完善。

二、《宪法》保障教育治理

1950年初，印度颁布了《宪法》，序言中有这样的表述："我们印度人民已庄严决定，将印度建成为主权的、社会主义的、世俗的民主共和国，并确保一切公民享有社会、经济、政治的公正；享有思想、表达、观念、信仰与礼拜的自由；享有地位与机会的平等。"从中可知，"世俗主义""自由和平等"构成了印度《宪法》的基本原则，也是指导印度中央和地方制定教育法案、法规、法令、判例以及教育政策的根本准则。印度的教育治理以《宪法》规定的原则为指导，《宪法》的保障作用主要通过两个方面得以实现：

1. 规定各级各类教育的一般原则

这些方面包括免费义务教育、少数民族教育、低弱阶层的教育、世俗教

① 李俊飞．印度教育法制的发展简史及其评述[J]．教育史研究，2004（3）：67-71.

育、妇女教育、初级阶段母语教育等，比如以下一些条款[①]：

> 第 28 条第 1 款：任何完全由国家出资开办的教育机构，不得进行任何宗教教学。
>
> 第 45 条：国家应努力在本《宪法》生效之日起 10 年内为所有儿童提供免费义务教育，直到他们满 14 周岁为止。
>
> 第 46 条：国家应特别关心并促进弱势群体的教育与经济利益，尤其是表列种姓和表列部落的教育与经济利益，并保护他们免受社会歧视及各种形式的剥削。
>
> 第 350 条 A：各邦及邦属地方机构必须向属于语言性少数民族的儿童，在其初等教育阶段，提供适当的设备以进行母语教学。
>
> 第 15 条第 1 款：国家不得仅仅因性别而歧视任何公民。

2. 规定中央政府和邦的教育管理权限

《宪法》特别强调教育是各邦的职责，《宪法》有关教育的条款赋予中央以督促性的而非强制性的领导作用。根据《宪法》，国家立法权被划分为中央、各邦及二者共同行使三个部分。联邦的教育立法权仅仅是督促性的而非强制性的，它主要从教育事业发展方面起到保障社会公正公平、维护国家统一和根本利益的作用，而各邦的教育立法权却承担着主要的、大量具体的教育职责。因此，各方的教育立法权就对应在这三种条目中：《联邦条目》（《条目I》）包括涉及国家重大利益的细目，《邦条目》（《条目II》）包括涉及地方利益的细目，《并行条目》（《条目III》）包括与中央和各邦都有关的细目。下面分别介绍这三种条目涉及教育的细目[②]。

---

① 科奇哈．印度的宪法与教育[C]．王蜂，译．赵中建，校 // 瞿葆奎．教育学文集第 24 卷：印度、埃及、巴西教育改革[M]．北京：人民教育出版社，1991：178-187.

② 科奇哈．印度的宪法与教育[C]．王蜂，译．赵中建，校 // 瞿葆奎．教育学文集第 24 卷：印度、埃及、巴西教育改革[M]．北京：人民教育出版社，1991：177-193.

（1）《联邦条目》

第 13 项：对外教育和文化关系。

第 62 项：国家重要单位，如国家图书馆、印度博物馆、帝国战争博物馆、维多利亚纪念碑和印度战争纪念碑等；以及全部或部分由中央资助并经法律宣布为全国重要单位的任何机构。

第 63 项：经法律宣布为中央重要单位的国立大学（贝拿勒斯大学、阿利加尔大学、德里大学、圣蒂尼克坦大学、东北山区大学和贾瓦哈拉尔•尼赫鲁大学）和其他院校。

第 64 项：部分或全部由国家资助并经法律宣布为全国重要单位的各个科学和技术教育机构。

第 65 项：为以下目的而创办的联邦机构和院校：专业、职业和技术培训，包括警官的培训；促进特殊的学科或研究；用于刑事调查和侦察中的科学或技术手段。

第 66 项：高等教育和研究机构中标准的协调和确定。

第 67 项：经法律宣布为全国重要单位的古迹、史料、考古遗址和遗物。

（2）《邦条目》

第 11 项：包括附属于《联邦条目》中的第 63、64、65 和 66 项以及《并行条目》第 25 项规定的大学在内教育应属各邦的职权范围。

第 12 项：各邦的管辖权包括由各邦控制或资助的图书馆、博物馆和其他类似机构以及古迹和史料（不包括那些经宣布为全国重要文物的古迹和史料）。

（3）《并行条目》

第 20 项：经济和社会规划。

第 25 项：职业和技术培训。

第 26 项：法律、机械和其他专业。

第 27 项：慈善事业和慈善机构。

第 39 项：报纸、书籍和出版社。

第 40 项：考古遗迹和遗物，但不包括经议会立法宣布为全国重要文物的遗迹和遗物。

三、专门法指导治理行动

在《宪法》的统领下，针对不同的教育领域，印度也制定了众多专门法律用以指导各领域教育治理行动的开展。以高等教育为例，印度独立后就制定了如《国际大学法》（1951）、《贾瓦哈拉尔·尼赫鲁大学法》（1966）、《大学拨款委员会法》（1956）、《印度理工学院法》（1961）等数项法律。不仅如此，各邦也积极制定专项法律，例如泰米尔纳德邦就制定了下列大学法：《马杜赖大学法》（1965）、《泰米尔纳德农业大学法》（1971）。2010年左右，政府又继续开展高等教育改革，以立法手段加速改革进程，近几年已有多部高等教育法案提交国家议会，并进入审核阶段，主要有《外国教育机构法案2010》《国家高等教育机构认证监管局法案2010》《高校创新法案2010》《研究与创新大学法案2012》等，[①]这些法案的总体目标是促进高等教育快速发展，大幅提高高等教育毛入学率，并改善高等教育质量和水准。下文选择《大学拨款委员会法》（1956）这部对印度高等教育发展有较大影响的法案进行详细分析，以示例此类专门法案对于印度高等教育治理所起的作用。

印度独立后非常重视高等教育的发展，制定了一系列的法律法规予以保障，其中最重要的是1956年联邦议会通过的《大学拨款委员会法》，它是指导印度现代高等教育发展的根本法律。[②]根据该法，先前临时设立的大学拨款委员会作为半官方半独立性的高等教育中介机构取得了法定地位。法案首先规定了大学拨款委员会的一般职责，即“在与有关的大学和其他机构的协商下，采取它认为有益于促进和协调大学和高等教育，有益于确定和维持大学的教学、考试和研究的标准的所有措施”。法案还明确了大学拨款委员会

---

① 吉安德黑拉·提拉克．印度：新自由主义时代的教育改革[C]// 王燕．G20 成员教育政策改革趋势．北京：教育科学出版社，2015：36-59.

② 李俊飞．印度教育法制的发展简史及其评述[J]．教育史研究，2004（3）：67-71.

与联邦政府的关系，规定“本委员会根据本法案行使职责的过程中，对涉及与全国性目的有关的政策问题，要遵循中央政府的有关指令”，“如果委员会和中央政府对某一问题是否与全国性目的有关产生歧义，那么中央政府的决定将是最终决定”。在后来的发展中，大学拨款委员会的权力不断加强，1972年的《大学拨款委员会法》修正案特别规定：“如果某大学是在1972年的修正案生效后建立的，那么，只有当大学拨款委员会认为该大学符合规定的各项标准并宣布其适于接受拨款后，该大学才能得到中央政府、大学拨款委员会或者其他从中央政府获取基金的组织的拨款。”1984年，新的修正案又增加一条：“根据本法案规定，（大学拨款委员会）有权建立向数所大学或所有大学提供共用设施、服务或课程的机构并向这类机构提供维持费用或提供大学拨款委员会认为必需的费用。”从《大学拨款委员会法》及其修正案来看，大学拨款委员会和联邦政府的关系是：联邦政府通过向大学拨款委员会划拨教育经费的方式，间接地向各高等院校（主要是中央直属大学）提供资助；而大学拨款委员会在分配经费的过程中也享有较大的自主权，可以根据情况冻结或减少其拨款数额。①

四、教育司法实践

印度强调法治，任何事务的纠纷最终的处理结果依据法律的判决，教育领域也是如此。下面以一起流血冲突案例②来阐述法律是如何介入教育治理的。

（一）事件的缘起

2005年7月4日，在喀拉拉邦，一幅彩色照片登上报纸头版（并在后来的相关报道中不时被引用），照片中一位男青年抱着一位腿部被手榴弹炸伤正痛苦呼喊的女青年奔向医院。报道展示的是喀拉拉邦左翼学生和青年抗议、阻止私立专业学院组织的入学考试，从而与维持秩序的警察发生冲突这

① 李俊飞．印度教育法制的发展简史及其评述[J]．教育史研究，2004（3）：67-71．

② 下文案例取自吴晓黎．国家、公民社会与市场：以印度教育领域为例[J]．广西民族大学学报（哲学社会科学版），2008（1）：43-48．

一事件。

印度的教育机构分为政府教育机构、私立受政府补助的教育机构和私立未受政府补助的教育机构三类。在高等教育领域，政府教育机构和受补助的教育机构的学费保持在一般家庭可以承受的较低或适中的水平。但自1986年以来，随着新的《国家教育政策》的实施，政府开始逐渐减少其在高等教育领域的责任，高等教育领域开始了私有化进程。卡纳塔卡邦首开私立专业学院的先例，为其他邦提供了示范。喀拉拉邦左翼政党和具有影响力的公民社会组织如喀拉拉科学文学会曾一度抵制私人资本进入高等专业教育领域，直到2001年统一民主阵线上台时才放宽了准入标准。当时的首席部长安东尼为他的政策辩护，声称批准两所私立学院等于政府拥有了一所自己的学院，并与出资方达成一项不成文的“理解”：这些学院的一半名额归管理方（相当于出资方的经理）控制，名为“管理方名额”，他们可以自主决定录取名单和学费标准；另一半的入学名额归政府控制，名为“政府名额”或“优秀名额”，从政府组织的统一考试的名次表中择优录取，学费与政府教育机构的学费相同，其中一部分名额保留给表列种姓、表列部落和落后阶级。

（二）最高法院的判决

由于政府与私立未受补助学院达成的协议没有制度保证，2002年最高法院在T. M. A. 派基金会起诉卡纳塔卡邦一案的判决中援引《宪法》关于少数社群按照自己的意愿建立和管理教育机构包括专业学院权利的条款，肯定了具有少数社群地位的自筹经费专业学院自主招生的权利，并宣布1993年的翁尼克里希南案中用“管理方名额”学生学费补贴“优秀名额”学生费用的判决“违宪”，从而禁止在同一所学院存在两种学费。2002年12月，当喀拉拉政府根据早先的不成文“理解”发布确定自筹经费专业学院的入学规范和学费的命令时，两所少数社群的私立医学院援引最高法院的命令向喀拉拉高等法院提出请愿，并得到了有利的判决：法院判定两所学院为优秀名额预留的席位比例为25%，并根据政府公布的为政府医学院每个学生花费的数额确定了优秀名额的年学费为15万卢比。喀拉拉高等法院向政府指出，最高法院对T. M. A.派基金会案的判决带来了巨大的法律变化，政府不能不意识到这一事实。政府能采取的唯一办法，是通过新的法律来实施它的政策。在法案草拟期间，最高法院又在伊斯兰教育学院起诉卡纳塔卡邦一案中，对前一个判决进行了阐释和修订，允许管理方在自己或国家机构举办的“共同入学考试”（国家统一入学考试之外的考试）结果中自主录取部分比例的学生，其余的通过国家机构录取。这实际上肯定了政府名额。该判决还建议，私立未受补助学院也应对社会的贫穷和弱势群体提供优惠条款。该判决建议各部分学生的比例由政府根据地方需求确定，少数社群和非少数社群的教育机构可以确定不同的比例；同时建议政府成立两个委员会分别监管统一学费的制定和入学程序。

由此可知，喀拉拉邦围绕自筹经费专业学院入学名额、程序和学费的争议的冲突演变成一场法律战，总体的解决措施就是通过调查不断修订或制定新法律来平衡政府、私立学院管理方及学生的权利。

第二节　教育行政部门开展治理

印度的教育行政管理体制基本可以分为三级，联邦政府、各邦政府、县级政府都设有教育管理部门。本节将围绕这三级体系展示各级教育行政部门是如何开展教育治理的。

一、中央教育行政部门的治理

目前印度的中央教育行政部门为人力资源开发部，是国家一级主管教育的工作部门。1985年拉吉夫·甘地政府时期，国家教育部与文化、艺术、青年事务部、体育部、妇女儿童部合并，成立人力资源开发部。[①]经过调整，现在的人力资源开发部可以划分为两部分：一是学校教育与扫盲司（管理中小学教育、成人教育和扫盲教育）；二是高等教育司（管理大学教育、技术

---

① 张双鼓，薛克翘，张敏秋．印度科技与教育发展[M]．北京：人民教育出版社，2003：112.

教育、奖学金等）。

人力资源开发部代表中央对各级各类教育行使职权，其在教育领域的治理主要包括以下内容：第一，计划和教育改革。中央政府决定和准备教育计划在全国执行，或在全国范围推行教育改革，人力资源开发部承担这些教育改革计划。第二，教育管理。直接负责中央直辖区和其他中央管理地区的教育管理任务。第三，管理中央直属学校教育和研究机构。印度中央直属的大学、理工学院、研究机构、国立图书馆和博物馆等都由人力资源开发部直接负责。第四，负责对外联系。人力资源开发部还需负责与国内或国际教育科学文化组织建立联系，争取更多合作。作为中央教育行政部门，印度人力资源开发部承担了全国性教育治理的任务，负责各级各类教育治理政策的制定，并采取诸多措施和行动解决教育问题。以下两项举措就反映了印度人力资源开发部在初等教育和高等教育治理中的典型职能，通过以此为代表的多样化治理行动，有效促进了印度初等教育和高等教育的发展。

（一）印度初等教育普及计划

2001年，印度政府宣布实施初等教育普及计划，并将其作为普及初等教育和提高教育质量的旗舰项目。[①]这是自普及初等教育运动以来，印度政府层面实施最广泛、也是最强有力的一次行动计划，由人力资源开发部具体负责这项计划的实施。该计划采取的具体措施包括：第一，建立临时教育机构吸纳失学儿童。成立教育保障计划和替代与创新教育中心，主要依托地方（村或片区）教育委员会来管理，负责为各类失学儿童建立临时或过渡性教育机构。第二，实施女童特殊教育计划，针对女童采取一些特殊措施，如为女童提供小学八年免费教科书、修建女童专用厕所、提升新聘任女性教师的比例（达50%）等。第三，推进全纳教育，服务残障儿童。要求正规学校、特殊学校以及临时教育机构都要接纳残障儿童，并利用远程教育、社区课堂等多种教学形式，为不同类型的残障儿童提供教育。第四，推行反歧视行动细则。反歧视行动细则包含正确行为规范的建立、歧视的预防和干预、教师辅

---

① 杨旻旻，连进军．印度初等教育普及计划（SSA）对弱势群体教育公平的促进及面临的难题[J]. 外国中小学教育，2013（6）：7-14.

导等14条要求。初等教育普及计划实施17年，在提高印度初等教育入学人数、解决教育公平问题、改善学校基础设施等方面取得了一定成绩。然而，总体来说印度弱势群体的整体教育水平还比较落后，教育质量也不高，基于这样的现状，持续推进初等教育普及计划依旧是人力资源开发部下一步关注的重点之一。

（二）印度国家大学排名框架

2001年，印度开始推进世界一流大学建设，并出台了“卓越潜力大学”与“创新大学”计划，然而成效并不显著。鉴于当前世界范围内高等教育竞争的态势，印度深感需要制订更加准确的大学排名计划，以便国家确定重点支持的大学，使其更快进入世界一流大学行列，提高高等教育竞争力。为此，印度政府自2014年10月着手制定印度国家大学排名框架，并于2016年4月发布了国家大学排名结果。印度国家大学排名框架的制定由政府主导，具体由人力资源开发部高等教育司负责。2014年10月9日，成立了隶属于人力资源开发部的核心委员会，负责框架的制定，初稿发布后又经过社会各界的沟通协商，并积极借鉴世界大学排名的指标，最终结合印度具体国情确定了最终框架，提出五项一级指标，即教学资源、科研水平、毕业生成就、扩展性与包容性、声誉。五项一级指标所占的权重分别为30%、40%、5%、15%和10%，在各类一级指标中，又可细分为若干二级指标，一级指标的最终分数由各二级指标分数相加所得（具体指标见表3-1）。依据上述指标体系，经过各高校自愿注册、提交数据、澄清数据及计算等环节，印度于2016年4月4日公布排名结果，该结果包含工程类、管理类、医药类以及大学类四个大类的前25名，并对每一类排名前10的大学进行介绍与分析。自印度政府推出国家大学排名框架以来，关于该框架及排名结果的评论不绝于耳，既有积极的称赞，也有来自各方的批评。在2017年印度建设世界一流大学计划的背景下，人力资源开发部将更加重视排名框架的科学性与合理性。

表 3-1　印度大学排名指标体系（以大学类为例）

序号	指标	权重及分值
1.0	**教学资源（TLR）**	30%
	A. 师生比（FSR，强调正式教职员工）	25 分
	B. 拥有博士学位和富有经验教师的综合指标（FQE）	25 分
	C. 图书馆与实验室设备（LL）	40 分
	D. 体育与课外设施（SEC）	10 分
2.0	**科研水平（RPII）**	40%
	A. 出版数量综合指标（PU）	45 分
	B. 引用率综合指标（CI）	45 分
	C. 知识产权（IPR）	10 分
3.0	**毕业生成就（GO）**	5%
	A. 大学考试表现综合指标（PUE）	50 分
	B. 公共考试表现综合指标（PPE）	50 分
4.0	**扩展性与包容性（OI）**	15%
	A. 扩展范围（CES，继续教育、服务等）	25 分
	B. 来自其他邦 / 国家的学生比例（RD）	25 分
	C. 女学生、女教职员工所占的比例（WS）	20 分
	D. 经济社会不利学生比例（ESDS）	20 分
	E. 为残疾人配备无障碍设施（PCS）	10 分
5.0	**声誉（PR）**	1%
	A. 同行评价（PR）	50 分
	B. 录取率（SR）	50 分

资料来源：Department of Higher Education Ministry of Human Resource Development Government of India:A Methodology for Ranking of Universities and Colleges in India[R]. New Delhi，2015-10-09.

二、邦级教育行政部门的治理

根据印度行政区划，印度邦级教育行政部门一般称为邦教育部，某些邦也称为文化教育部或普通教育部，主管各邦具体的教育事务。邦教育部的最高领导“部长”，相当于我国各省的教育厅厅长，部级以下还有秘书级、局长级两级。邦教育部长直接对邦议会负责，其本人也是邦议会的议员；邦教育秘书协助部长工作，并直接负责教育政策的制定。值得注意的是，邦级教育行政部门并非邦内唯一的教育管理机构，一些业务部门也管理本领域的专业教育。例如，农业部兼管农业教育，卫生部兼管卫生教育等。为了更清晰地了解印度邦一级的教育治理情况，下文选取喀拉拉邦作为个案进行集中分析。

喀拉拉邦号称印度各邦中教育最发达邦之一，从具体的数字看，喀拉拉邦的公民识字率在1951年、1961年、1971年、1981年分别为40.7%、46.8%、60.4%、69.2%，而印度公民的平均识字率在这些年份分别为16.6%、24.0%、29.5%、36.2%，喀拉拉邦远远高出印度的平均数。[①]喀拉拉邦的教育普及水平高不是一日之功，其高水平的教育成就离不开完善的组织和治理。

（一）喀拉拉邦教育法律法规

喀拉拉邦重视教育法制建设，强调依法治教。1956年建邦后，邦政府先后颁布了《喀拉拉邦教育法》（1959）、《喀拉拉邦教育条例》等一些重要教育法规。如《喀拉拉邦教育法》（1959）规定，政府向全邦儿童提供免费和义务教育；《喀拉拉邦教育条例》规定，1—10年级一律不收学费，5—7年级每年收杂费6卢比，8—10年级每年收杂费11. 5卢比。目前喀拉拉邦的教育治理主要依据《喀拉拉邦教育法》（1959）和《喀拉拉邦教育条例》这两项法律。

（二）喀拉拉邦教育部管理结构

喀拉拉邦教育部全称为普通教育部，普通教育部的最高首长是教育部

① Jeffrey R. Politics，Women and Well-Being[M]. New York：Palgrave Macmillan，1992：57.

长，同时也主管本邦政府考试。从人员配备来看，在邦教育部的总部，协助部长工作的官员包括多位附加部长、多位联合部长以及一位高级行政官、一位高级财务官、一位法律官员、多位会计官、多位副部长、多位助理副部长和其他一些职员；在另外一个地方办公的考试办公室，有一位“联合专员”、一位秘书、一位助理秘书和其他一些职员，协助部长处理涉及政府考试的事务。①

三、县及以下行政区划的教育治理

印度行政区划有两种，一是四级制：即一级行政区划（邦和中央直辖区）、县、乡（市）、村（镇）；二是五级制：即一级行政区、专区、县、乡（市）、村（镇）。以喀拉拉邦为例，该邦有14个“税收县”，每个税收县都设有教育办公室可以称为“教育局”，由教育局长负责。全邦的14个税收县又进一步划分为37个“教育县”和161个“教育乡”。②教育县的教育行政主管是教育处长，教育乡的教育行政主管是教育科长。因此，要考察印度的教育治理，除了中央和邦级的教育行政部门的治理，县、乡、村等地方性质的教育机构参与治理也是十分重要的考察方面。

《国家教育政策》（1986）颁布之后，印度加强了教育分权，以教育分权来寻求适应新时代教育发展的教育治理模式，要求县及以下的各教育部门、教育机构都参与到教育治理中。如表3-2所示，印度各邦的县、乡、村都积极参与到初等教育的管理中，印度今后的初等教育管理将更加注意调动地方参与教育事业的积极性，增强人民群众的受教育、参与教育的意识，从而使初等教育真正走向人民，走进大众。

---

① General Education Department. Directories [EB/OL]. [2019-10-30]. http://education. kerala. gov. in.

② 安双宏．印度地方教育管理探析[J]．黑河学院学报，2010（1）：81-84.

表 3-2　县、乡、村管理机构对初等教育的权利与责任

邦	县	乡	村
安得拉邦		管理小学	
古吉拉特邦	录用校长；负责校舍建设	建立小学；负责初等教育	促进初等教育
卡纳塔克邦	建设贫民学校，促进初等教育	促进初等教育；建立、修缮和维护学校	促进对初等教育的关心与参与；保证入学和出勤
中央邦		校舍建设	检查、建设和维护学校；发放免费教材和校服；管理表列种姓和表列部落学生的补助；组织非正规教育
马哈拉施特拉邦	建立、维护、检查和修缮学校；提供教学用具	促进初等教育	促进初等教育
拉贾斯坦邦	保证初等教育正常运转	促进初等教育	监督学校；评定与发放教师工资
北方邦	建设和维护学校	建设和维护学校	建设学校
西孟加拉邦	在受洪灾地区建设学校；监督学校	促进初等教育	在受洪灾地区建设学校；分配教材

资料来源：Primary Education in India，The World Bank，1997：202–203.

第三节　全国性教育咨询委员会引导治理

印度存在着众多全国性教育咨询委员会，这些委员会多是按照法律成立的法定自治机构，虽然它们并非政府直接领导的行政机构，但是其制定的政策和被赋予的权力又具有一定的行政效力，可协助政府制定和落实各项教育政策，是印度教育治理体系中不可或缺的一环。区别于政府的教育行政机构，这些委员会职权范围很广，主要通过发布教育规划或提供政策建议引导教育发展，概括起来，其引导教育治理主要体现在政策咨询、标准制定、教育督导三个方面。

一、教育政策咨询

教育政策咨询是全国性教育咨询委员会引导治理的首要方式，印度有一些中央级的教育研究或咨询机构，如中央教育咨询理事会、全国教育研究与培训委员会等，负责在相应职权范围内就教育问题向中央和地方政府提供咨询意见。下面以中央教育咨询理事会为例，展示其引导治理中的实践。

中央教育咨询理事会的主要作用：一方面对涉及中央和地方政府的各种教育问题提出建议；另一方面，搜集对印度教育发展具有重要价值的信息和资料，经检查核实后向中央及地方政府汇报。理事会自成立以来对提高印度社会对教育的认识发挥了积极作用，理事会也做了多项影响深远的工作。如1935年的首届会议就提出了要改革教育体制以解决当时大量受教育青年失业的问题；1944年理事会批准了第一份印度全国教育指导性文件《印度战后教育发展》，为现代印度教育的规划奠定了良好基础。

理事会之所以能够发挥重要作用与它的成员组成分不开。中央教育部长担任理事会的主席，邦教育部长为其成员，使中央教育咨询理事会呈现出跨邦特征。从这个角度而言，中央教育咨询理事会不仅在其实施领域（审查、建议、修订和监督）是重要机构，还体现了促进中央与各邦伙伴关系的制度安排，促进了中央和各邦之间的教育合作与交流。因此，可以说中央教育咨询理事会实质上与中央卫生委员会、中央地方自治委员会等类似，相当于半行政机构。

此外，在制订经济发展五年计划过程中，中央教育咨询理事会也为教育发展规划积极建言献策，并在每一届例行会议上都重点讨论涉及国家教育发展的重大问题，中央教育咨询理事会的跨邦会议已经成为政府间最持久的论坛之一。1986年制定的《国家教育政策》进一步强调了中央教育咨询理事会的作用，并指出它将在考察教育发展、推动改善教育制度所需的改革及监督上起主要作用。

中央教育咨询理事会对于促进印度教育发展发挥了重大作用，除了上述举措，还促使多个教育管理机构成立。如：在其1948年1月召开的第14次会议上建议成立中等教育委员会，并于1951年召开的18次会议上请求尽早实施。中等教育委员会于1952年10月6日成立，负责研究印度中等教育各方面存在的问题并就此提出报告，对中等教育的重新组织和改进提出建议和措施。可以说，印度中等教育委员会是在中央教育咨询理事会的建议下成立的另一个全国性的教育咨询机构。此外，印度大学拨款委员会也是由中央教育咨询理事会于1950年开会讨论大学教育委员会报告时建议成立的，正式成立时间为1953年12月，1956年通过《大学拨款委员会法》使其成为法定机构。印度技术教育委员会的成立也是因为中央教育咨询理事会的建议，中央教育咨询理事会认为在二战后印度的工业得到实质发展，必须发展技术教育，在其建议下，印度技术教育委员会于1945年成立，专门负责制定全国总的技术教育政策并负责监督管理所有中学以上阶段的各类技术专业教育院校。①

二、制定和维持教育标准

除了政策咨询，此类全国性教育咨询委员会在教育治理中的另一项重要任务就是制定和维持教育标准。比如印度技术教育委员会，就要负责在技术教育领域内开展协调工作并制定标准，其法定权力包括：制订全国性教育计划，提高技术教育质量，使其按照计划高质量发展，并随时调节以保持技术教育的标准和规范。又如印度大学拨款委员会，其一般职责是与各大学或其他有关团体协商，采取适当措施促进大学教育发展，并决定和维持大学的教学、考试和科学研究的标准。

以大学拨款委员会为例，该委员会针对教师、学生、考试等多方面制定标准，比如2013年针对大学教师及研究人员制定了最低标准。制定这份最低标准的目的是规定教师教学科研等多项活动的最基本要求，并给予评判细则，借此更好地维持印度高等教育的质量和标准。该标准具体可以分为三部

① 赵中建．印度基础教育[M]．广州：广东教育出版社，2007：27.

分：（1）教师的教学、学习及评价活动，教师的API[①]分数最低为75分，如表3-3所示；（2）辅助课程及专业发展的拓展性活动，教师的API分数最低为15分，如表3-4所示；（3）教师的科研情况和成果，总共考核五个部分，分别是论文发表（期刊）、书稿出版（著作）、研究项目、研究指导、培训课程及研讨会，其评分权重分别为30%、25%、20%、10%、15%。由于这一部分的规定较为复杂和烦琐，在此不作详细呈现。

表3-3　教师的教学、学习及评价活动

	活动类型	最高分数
1	讲课、学术研讨会、个别指导、实践活动、讲座中与学生接触分配的时间	50
2	超出大学拨款委员会具体规定的讲课或其他教学活动	10
3	备课和传授知识、课程的指导、教学大纲中为学生提供的额外的学习资源	20
4	采用具有吸引力和创新性的教学方法；及时更新学科内容，改进课程教学	20
5	考试安排（监考、考试卷面设计、答案的评估）	25
	总分	125
	API 最低分数要求	75

资料来源：University Grants Commission. Minimum Qualifications for Appointment of Teachers and other Academic Staff in Universities and Colleges and Measures for the Maintenance of Standards in Higher Education [EB/OL]. [2017-08-04]. http://www. bhu. ac. in/rac/racuploads/5/20160423155457%20. pdf.

注：每一类型的活动时间（小时）根据规定时间可以折算成最终的分数。

---

① API是“Academic Performance Index”的缩写，即学术性能表现指数，这里以API分数对教师教学、科研及专业发展情况进行评价。

表 3-4　教师的辅助课程及专业发展的拓展性活动

	活动类型	最高分数
1	与学生有关的辅助课程和拓展活动（例如文化类型活动、课程相关的活动、建议与咨询活动等）	20
2	参与学术和管理委员会对各系或研究所管理方面的贡献	15
3	专业发展活动（例如参加学术研讨会、短期培训课程、进行报告、加入学术组织等一些未列入的活动）	15
	API 最低分数要求	15

资料来源：University Grants Commission. Minimum Qualifications for Appointment of Teachers and other Academic Staff in Universities and Colleges and Measures for the Maintenance of Standards in Higher Education [EB/OL]. [2017-08-04]. http://www. bhu. ac. in/rac/racuploads/5/20160423155457%20. pdf.

注：每一类型的活动时间（小时）根据规定时间可以折算成最终的分数。

三、教育督导

印度是一个地区发展极不平衡的国家，在教育管理上，教育督导的地位显得特别重要。在印度，教育督导工作并没有专门的机构，但教育督导工作却一直在开展。常规的教育督导工作包括教育政策的执行情况、教育工作的开展情况、教师培训情况、教材使用情况、教育资金使用情况、教学质量情况、教育资源的分配情况等。专门的教育评估包括新的教育政策的执行情况、新的教学标准实施情况、在较短的期间内工作的进展情况及工作新动向等。教育督导是印度中央及各邦政府教育行政部门的一项重要职责，此外，印度的全国性教育咨询委员会也在教育督导系统中发挥重要作用。如上文提到的中央教育咨询理事会在指导教育政策和教育项目制定的同时，结合教育目标的实施、教育政策的制定和执行而开展教育督导工作。1968年、1986年颁布的《国家教育政策》和1992年颁布的《行动计划》既是教育发展的纲领性文件，也是教育检查、教育评价和教育督导的指导性文件。

印度教育行政机构主要分为三级，分别为国家级、邦一级、县级，每一级都设有教育咨询委员会，其职责是：（1）不断修订和提高课程标准，提供教科书和其他教学或学习材料，改进教学和评价方法；（2）通过咨询专业团体确定学校标准，并通过督学提供资助等保证各学校保持所要求的标准；（3）提供教师，保证他们的报酬和退休金，负责教师的职前和在职培训，建立资助教师培训机构；（4）对学校进行督导；（5）调整各区的教育标准；（6）帮助地方当局和督学提高能力和水平。①

（一）国家级教育督导

设立中央教育咨询理事会，在教育发展工作的督查、教育方法的改革以及有关部署的传达与实施中发挥决定性作用。设立全国教育研究与培训委员会作为主管全印度学校事务的机构，主要解决教育管理方面的问题，从事学校教育方面的研究，开展职前教师教育和教师在职培训，编写1—12年级师生所需要的教材，在人口教育纳入非正规教育领域时，向国家人口教育项目提供技术指导，对邦和直辖区的教育工作提出指导意见。创建全国教育规划与管理研究所，作为教育研究机构，其职责是：协助人力资源开发部改进国家的教育规划和管理；承担与教育规划和教育管理有关的工作；举办由中央政府、邦和直辖区政府高级教育管理人员参加的培训班、研究班、专题研究会和各种会议。还有一些全国性的半行政机构，如大学拨款委员会，也在教育督导方面发挥积极作用。

需要重点提出的是全国学校教育委员会，这是印度中央一级的主要教育督导机构。该机构是根据20世纪60年代科塔里委员会的建议设立的。它的主要职责包括以下内容：（1）履行全国教育督导职务并向印度政府提供关于与学校教育事务相关的建议；（2）为不同阶段的学校教育界定可达到的教育标准，并根据实际需要进行修订；（3）对国家的不同地区在学校教育的不同阶段实际达到的标准作出评价，并探知它们可达到的与相应的期望标准间的差距；（4）建议并帮助邦政府和别的机构编制和实现学校标准的改

① 邢启敏．印度教育督导评价对我国教育督导的启示[J]．黑龙江高教研究，2012（11）：73-76.

进计划。[①]该委员会的工作主要分两类：一是诊断性的，即帮助邦教育部测量成绩，并明确在国家的不同地区完成型标准是什么；二是发展性的，即帮助邦政府采取措施提高教育标准，帮助中央资助的学校实施教育发展计划。全国学校教育委员会以顾问的身份工作，并指导各邦实现其教育标准。[②]

（二）邦一级教育督导

在印度，学校教育本质上是一种地区和邦之间的伙伴关系，邦一级的教育督导在印度整个教育管理中具有十分重要的地位。邦学校教育委员会是最主要的督导机构，同全国学校教育委员会一样，也是由科塔里委员会建议设立的。在印度，邦学校教育委员会是作为邦教育部这个整体的一部分来发挥作用的：邦教育部拥有检查权和提供财政支持的权力，而邦学校教育委员会则是规定教育标准和课程，拥有举行考试权力的专业性机构。此外，各邦和直辖区政府成立教育咨询委员会，执行中央政策，协调各方面工作；设立教育指导委员会，分别指导、协调和监督各类学校，制定相应政策，监督政策的执行情况，指导教育工作。[③]为了加强邦一级的督导职能，印度建立了一个自治性独立机构——邦评价组织，负责向所有与此相关的机构和个人[④]提供服务。邦评价组织的主要职责是协助邦教育部，规定、修订和测量教育标准，帮助县教育行政官员在初等和中等学校中改进评价，帮助邦学校教育委员会改进由其组织的外部公共考试，尤其是10年级和12年级末的考试。[⑤]

（三）县级教育督导

随着印度教育的发展，县级教育督导职能逐步加强。除了县教育行政部门设置的教育办公室，各县还成立县教育咨询委员会管理其教育事务。这些教育咨询委员会的职责包括制定教育策略、制订和实施教育计划、监督所有的教学活动、建立村级教育委员会，选拔、培训和指导教育机关领导，以灵

---

① 王长纯．世界教育大系・印度教育[M]．长春：吉林教育出版社，2000：145.

② 王长纯．世界教育大系・印度教育[M]．长春：吉林教育出版社，2000：146.

③ 邢启敏．印度教育督导评价对我国教育督导的启示[J]．黑龙江高教研究，2012（11）：73-76.

④ 这些机构和个人包括邦学校教育委员会、掌管初等和中等学校评价和技术的改进的县教育行政官员和各个学校。

⑤ 王长纯．世界教育大系・印度教育[M]．长春：吉林教育出版社，2000：148.

活的方式推动学校的督导工作。

第四节　社会力量参与治理

印度教育的发展除了依靠中央政府及邦政府的直接管理，及一些半行政机构的持续引导监督，还有来自社会的各方力量参与其中。这些社会力量来源十分广泛，对教育发展产生了重要影响。从印度整体经济社会发展角度而言，各种经济目标和社会计划也都涉及教育，没有社会多方面的参与，印度的教育，乃至整个社会的良好发展都不可能实现。

一、社区参与

社区参与是社区居民自觉地参加社区的各种活动或事务的过程，它是一种公众的参与，意味着社区居民对社区责任的分担和成果的共享，政府一般都鼓励社区成员参与解决社区问题。[①]在教育治理中，社区参与强调“社会、学校、家庭”三者结合，不能把社区参与仅仅局限于捐助土地、建造学校大楼这些事情上，还包括让社区成员积极参与学校的各种活动。印度教育治理的社区参与群体广泛，本节主要围绕村教育委员会和家长教师协会这两个部门进行说明。

（一）村教育委员会

以西孟加拉邦为例。该邦的村教育委员会由14人组成，主席和秘书各1名，均由乡村自治委员会任命，其他组成人员一部分来自政府部门。西孟加拉邦“县基础教育计划”将村教育委员会的职能分为17个方面，其中最主要的三项职能为：（1）构建并发展学校—社区共同体。村教育委员会成员负责组织老师和学生监护人开展半年或年度的会晤，接受学校委托，请求当地居民对学校活动进行持续资助，为履行这些责任，村教育委员会需要与当地居民形成有效沟通。（2）监测学校教育标准的达标情况。这一点主要针对

① 许善娟，卢乃桂．社区参与和社区教育发展[J]．教育发展研究，2005（1）：18-24.

学校和教师教育教学水平进行控制和管理，以保证给予学生高质量的教育。村教育委员会的成员会与教师保持持续接触，如果发现问题，则采取必要解决措施。村教育委员会成员会深入各学校进行调查，参与到学校的教育教学中，检查教师的授课时间、教学方法，并根据学生的水平进行综合评判。（3）举行村教育委员会会议。村教育委员会会议一般每个月召开1—2次，会议内容多样，围绕其日常工作进行总结并安排下一步的工作任务，尽管目前大部分村教育委员会会议频率为每月1次，但增加开会的频率已经成为趋势，以便及时对教育管理工作进行指导。①

（二）家长教师协会

社区参与的另一重要形式是家长教师协会。家长教师协会一般只局限在市区的学校，一些较富裕的社区对它们提供资助，乡村地区家长教师协会不是很多。

以印度中央邦为例。该邦的每所学校必须建立家长教师协会，每一位家长都是家长教师协会的成员并参与委员会的决策。家长教师协会成立一个由14人构成的执行委员会，家长教师协会的主席选自此执行委员会，由一位家长担任，校长是秘书长。家长教师协会的一项重要职责就是管理和利用学校的资金，学校的资金账户由主席与校长共同管理（学校账户收到的年度拨款主要用于校舍维修和维护、学校发展、教学学习材料、校服、午餐计划、厕所、饮用水以及学校的土建工程等）②；此外，家长教师协会负责登记每位教师的出勤情况以发放月薪，并对每位教师的教学情况开展评估，如果存在问题，需要向上级部门反映。

需要指出的是，各邦的情况并不一样，因此家长教师协会在各邦发挥的作用也不尽相同。比如卡纳塔克邦的家长教师协会虽然也广泛存在，但其作用较小，学校主要依靠学校发展管理委员会管理。类似的还有母亲教师联合

① Wankhede G G，Sengupta A. Village education committees in West Bengal， India：Planned vision and beyond[J]. International Journal of Educational Development，2005（5）：569-579.

② Priyanka Pandey，Sangeeta Goyal，Venkatesh Sundararaman. Community participation in public schools： impact of information campaigns in three Indian states[J]. Education Economics，2009（3）：355-375.

会，它的作用与家长教师协会的类似，旨在加强家长与学校的联系。母亲教师联合会也是“县基础教育计划”的一部分，并且在如喜马偕尔邦等很多地区发挥着越来越重要的作用。

二、公私双方合作治理

私立教育是印度的教育特色之一。私立学校一般可以分为两类，一类是无政府资助的、完全由私人运作和管理的学校，另一类则接受政府资助，这些私立学校由某些委员会、大企业，甚至个人出资举办，以企业出资举办最为常见。当前，印度的私立教育中纯粹的私人办学并不是很多，大部分都是公私合作关系，在此合作过程中公私双方需要签订长期合同。

印度教育公私合作有如下几种模式：

> “私人资助行动计划”模式，这一模式主要解决新学校基础设施供给的问题；
>
> “整体式学校经营”模式，在这一模式下私营合作伙伴除负责建设校舍之外，还有权任用教职员工，经营教育服务，政府主要考察私营伙伴提供的基础设施、教育服务、课程设置是否合理，学生的考试和学业成绩以及其他的辅助课程等，依据私营合作伙伴对预定业绩标准达标情况付款；
>
> “政府辅助型学校改革”模式，这一模式在印度多个地方已经出现，政府的资助也是基于私营伙伴的业绩指标，包括学生和教师的出勤情况、基础设施的建设和维护、学生的考试成绩、学生学业成绩调查结果等；
>
> “现有学校中的第二班计划”模式，这一模式的实施程序是通过招标的方式挑选一家私营合作伙伴在一所公立学校经营第二班课程教学，产生的费用由政府进行补偿，政府以公助生人均费用进行付款。

以上各类公私合作模式主要针对基础教育。私营合作伙伴的加入为印度基础教育的治理注入一股新鲜的血液，公私合作更有助于提高学校教育管理水平，改善教学质量，吸引更多生源。此外，高等教育领域的公私合作模式也越来越受到印度相关部门的重视，目前印度高等教育公私合作的实践主要集中在项目层面，即政府通过与特定非政府组织或个人签订合作协议，在具体项目上合作提供教育公共产品的制度安排。[①]但是目前印度高等教育公私双方合作模式还没有特别成熟，尤其缺乏相应的法律法规，因此建立合理有效的质量监管、绩效评估机制，创设稳定良好的制度环境是印度高等教育领域未来公私合作的重点。

三、智库团队建言献策

教育智库主要充当着国家教育改革的设计者、教育决策的建言者、政策效果的评估者和社会舆论的引导者等角色，影响力是智库的生命力和核心竞争力。印度的一些智库团队通过其研究对大众、精英和核心层施以不同的影响，成功地推动了印度教育的发展，可以说智库团队在印度教育治理中也起着十分重要的作用。印度社区教育研究中心就是印度教育领域享誉盛名的智库团队。

印度社区教育研究中心始建于1999年1月，位于印度泰米尔纳德邦首府钦奈，由马杜赖耶稣会和“钦奈使命”基金会联合赞助成立，旨在推动和协调全印社区学院的发展。到2013年，由印度社区教育研究中心直接参与管理的社区学院共计317家，分布于19个邦，占全国社区学院数量的一半以上。[②]

印度社区教育研究中心主要通过三种途径发挥其作用：第一，面向大众。在印度社区教育研究中心直接管理的社区学院中，学习合格毕业的学生，除了很少的一部分将进入高一级学府深造，绝大部分学生可以实现就业，且毕业后大多数学生的收入增加，这一结果达到了社区学院帮助学生就业的目标。此外，印度社区教育研究中心将不同种姓、不同宗教信仰、不同教育背景的学生融合在一起，实现了有教无类，切合了印度的国情需要。第二，面向精英。印度社区教育研究中心主要通过召开全国、地方研讨会的方

① 吴媛媛，安双宏．公私合作：印度高等教育改革的新方向[J]. 继续教育研究，2013（2）：152-154.

② 王雍铮，乔兴媚，陶军．发展中国家视野下智库对社区教育的影响力机制分析——以印度社区教育研究中心（ICRDCE）为例[J]. 职教论坛，2016（12）：90-96.

式，汇聚教育界各类有识之士，加强社区学院系统内部以及与其他教育系统的信息交流，扩大自身的影响力。印度社区教育研究中心还积极与印度的远程教育系统展开合作，努力探索社区学院的多元化办学模式。在印度社区教育研究中心的努力下，2007年5月，泰米尔纳德开放大学正式承认社区学院作为其下属的职业教育中心，提供就业导向的课程项目，开创了开放大学和社区学院合作办学的模式。第三，面向决策者。印度人力资源开发部下辖的高等教育司和大学拨款委员会是掌管印度高等教育的核心职能部门。印度社区教育研究中心的负责人阿方索博士早在1999年7月就与人力资源开发部联合秘书贾太吉讨论了社区学院的概念和在全国推广的规划，在其不断努力下，印度的“十一五”计划明确提出了增建210所社区学院的要求，中央政府计划提供10亿卢比用于这些社区学院的内涵建设、教师培训、设备引进等。2008年5月，大学拨款委员会对社区学院操作机制的指导意见也最终确定，加快了国家对社区学院的支持步伐。

四、非政府组织补充教育

非政府组织参与教育受到了印度政府的鼓励和支持。印度非政府组织的代表布拉罕协会认为，民间组织有义务参与教育管理，并促进教育发展，尤其是极为偏远和贫困的地区，当政府资源无法满足受教育者需求时，更加需要民间组织协助进行教育管理。

布拉罕协会如今已成为印度贫困儿童获取基本教育服务的最大供应方，每年都有数百万的儿童从中受益。有研究表明，参加布拉罕协会项目的儿童与同龄人相比，在小学教育阶段学习效率更高，并且比其他学生表现更好。

布拉罕协会的实施运作可以概括为以下几个方面：①

1. 寻求多方合作

布拉罕协会依靠政府、企业和社会的合作开展了一系列学前教育领域的项目。在项目开展中布拉罕协会采取了低成本策略，这一策略主要是靠和企业、社区的合作实现的，目的是维持较低的启动和运营成本，以使最贫穷的

---

① 以下四点内容主要依据布拉罕协会网站有关内容整理而成。

地区也可以承担。从创立到发展的十几年中，学前教育项目的管理机构和营运机构几乎不曾拥有过任何专用建筑物、交通工具甚至是租用的空间，而是完全依赖社区和公立学校的捐赠。“每个参与社区必须提供一个免费场地”的要求也确保了社区在项目中的深度参与。2001年，在企业和社区捐助的配合下，布拉罕协会又创立了每年每人成本仅为4美元的计算机培训项目。

2. 深化与企业合作

与布拉罕协会合作的企业并不仅仅是捐赠者。布拉罕协会邀请这些企业和它们的高层管理者加入到协会中来，激发他们强烈的主人翁意识。这种政策增强了企业与协会之间的联系，使布拉罕协会能够获得更多可以利用的资源。例如，一家合作企业的CEO可能会邀请另外一家企业帮助布拉罕协会在一个新城市推广新项目。如今，包括印度工业信贷投资银行和印度斯坦石油公司在内的很多合作企业都会为布拉罕协会提供办公室、教学物资以及资金援助，甚至会派遣全职员工在布拉罕协会的管理层任职。

3. 加强教师的培训管理

教师是教学质量提升的关键，布拉罕协会将其大部分营运成本都投入到了教师培训中。例如学前教育项目中有24个由专家团队和经验丰富的幼儿教师构成的专门小组，负责全国范围内教师培训和课堂评估。在教师管理方面，布拉罕协会采取了分权的管理战略，其目标是像培养企业家一样培养教师。在孟买，布拉罕协会将学前教育教师交给50个独立的妇女组织分别管理，除去预算、培训和项目总体进度由总部决定以外，其他一切细节都交给当地教师和管理者决定，使项目的运营完全与当地情况相融合。

4. 积极开展调研

《年度教育情况报告》是布拉罕协会长期运营的项目之一，该报告每年在全国、各邦、各县和乡镇层面调研教育现状，提出存在的问题并提供有效解决建议。很多政府部门都无法提供的重要数据，如学前教育和小学的入学率、学生读写和运算能力、平均每名教师负责的学生数量等，该协会都能较为准确地提供。作为非政府组织，布拉罕协会通过这一形式在印度教育界进行信息传导、行动倡议，弥补政府政策的不足，甚至影响公共政策的制定。

第四章　印度高等教育的分权治理

印度的高等教育发展有着悠久的历史，但独立以前其高等教育的规模相当有限。伴随着20世纪90年代末印度经济的崛起，这个一度没落的南亚次大陆国家培养了一批相当杰出的人才，其高等教育功不可没。在过去的近两个世纪，尤其自1947年印度独立以来的70多年里，印度高等教育体系从小到大，已经成长为“高等院校数量世界第一（约5万所）和在校生人数世界第二（3 740多万人）”的庞大的高等教育系统，如此惊人的发展速度在世界高等教育发展史上都是极为罕见的。作为一个体量庞大的发展中国家，印度如何对高等教育体系进行有效治理，是本章主要讨论的内容。

第一节　印度高等教育从管理到治理的历程

印度的教育伴随着古老的文明而生，在种姓制度下带有浓厚的神秘色彩，很长一段时间内教育只是少数群体的特权。在遭遇了殖民统治之后，西方学院式高等教育开始在印度建立起来。独立至今，印度的高等教育经历了一段快速扩张期。不断摸索和演变的高等教育从管理到治理的历程是印度争取民族独立和现代化的一个侧面。

一、古印度时期：种姓制度下“经院式”教育

公元前1500年是印度历史的新纪元和印度宗教文化的起点，也是古代印度教育的开端。在这一时期，古印度开始罹受外来游牧民族的骚扰，强大的雅利安人入侵印度后建立了种族等级划分严格的瓦尔纳体系，其后发展演变为影响至今的“种姓制度”，即婆罗门、刹帝利、吠舍、首陀罗四大阶层。在古印度人看来，是天神的力量规定各个不同种姓集团的社会地位，社会

地位不同是公平合理的。不同种姓因其前世业报不同决定其今生从事不同职业，履行不同社会义务，享受不同报酬。在这种文化影响下，古代印度教育以经院式为典型特征，教育权掌握在婆罗门教和佛教手中，具体表现为古代印度教育大多集中探求宗教课题，其教育主要在寺院中进行，课程与宗教相关，以培养神职人员、官员和教师为目标。其次，印度古代的高等寺院大都建立在远离纷扰的森林里，倡导心灵教育和森林教育，较为典型的是那烂陀大学，强调尊崇知识、尊重教师、追求灵魂解脱，这使经院式管理模式下的古代印度教育具有浓厚的宗教和哲学色彩。泰戈尔指出："古代印度文明的继承，主要依靠的是心灵教育。"可见心灵教育在古印度时期的地位。不论是类似于学校机构的寺院还是充当学生的学习者，都是相对意义上的高等教育内部的组成要素。其教学内容对人类知识的积累发挥了作用，但与社会生产没有太大的关联。这一时期的印度教育主要依靠寺院独立运作，还未真正涉及一个国家对某块教育系统的治理。

二、殖民地时期：学院的奠基以及现代大学的涌现

近代印度高等教育伴随着英国的殖民统治史开启，创办高等教育的目的也主要是为了巩固英国的殖民统治。英国殖民政府仿效英国大学模式在印度建立大学，并采用英国学院式管理模式管理印度高等教育。1800年，东印度公司在加尔各答建立了福特・威廉学院，培养印度公务人员；1813年，东印度公司的《宪章》中专门作出规定，每年将拨付不少于10万卢比的资金，用于复兴和改进印度人文学科，鼓励本地印度人的学习；1814年，福特・威廉学院的梵文和孟加拉文教授威廉・凯里提出一项由欧洲人来教授本地印度人的计划。从这些举措以及后期东印度公司在印度对高等教育所实施的一系列措施都是主张推广西方教育，采用英语教学，建立西方教育制度，引进西方学院式高等教育管理模式。

1817年1月20日，印度学院在传教士的影响下开办，开设政治学、孟加拉语、印地语、数学、历史、地理、天文学等课程。这是第一所借鉴西方教育制度用英语教学的学院，开学之初只有20名学生。1824年获得政府资助，在政府的支持下，1837年英语被确定为印度官方语言，英国教育制度逐渐

全面地取代印度本土教育制度。1855年，印度共有28所学院，[①]依赖西化政策，印度迈向了现代高等教育。但这些学院结构松散，互相之间并未形成统一的大学教育标准，国家也缺乏明确的教育政策和体制以规范其运作。基于这种状况，英国当局于1854年发布了《伍德教育急件》。该文件开启了印度教育的英印融合时代，成为英殖民统治者西化政策中最重要的一步。在高等教育领域，它提出以伦敦大学为模式，建立印度现代意义上的大学。1857年在加尔各答、孟买和马德拉斯建立的加尔各答大学、孟买大学和马德拉斯大学[②]，是现代意义上印度大学的开端，这三个管区原有的私立学院都成为这些大学的附属学院。1859年发布《斯坦利急件》进一步肯定了《伍德教育急件》的思想。在此影响下，一些学院纷纷建立，到1882年，印度全境学院数量已增加到75所。[③]此后，这一数字继续上涨，从1902年的111所到1917年的185所，可以说，学院占据了印度高等教育的绝对体量。

虽然学院不断建立，但在几乎半个世纪内（1857—1915），印度只新建了2所大学，分别是1882年新建的旁遮普大学和1887年新建的安拉阿巴德大学。1915年后受学院发展的推动，在5年之间（1916—1920）印度新建了6所大学：贝拿勒斯印度教大学（1916）、迈索尔大学（1916）、巴特那大学（1917）、奥斯马尼亚大学（1918）、阿里格尔穆斯林大学（1920）和勒克瑙大学（1920）。这些大学建立后，印度其他区域要求新建大学的呼声也因此变得更加迫切，在接下来的8年间建成5所新大学，分别是：德里大学（1922）、那格浦尔大学（1923）、安德拉大学（1926）、阿格拉大学（1927）和安纳马莱大学（1929）。随后特拉凡科大学（1937）、乌特卡尔大学（1943）、萨加尔大学（1946）和拉贾斯坦大学（1947）纷纷建成，截至独立前，印度总共拥有17所现代大学。

---

① 贺国庆，王保星，朱文富．外国高等教育史[M]．北京：人民教育出版社，2003：694.

② Jose Thadavanal. Toward educational excellence and national progress：A philosophy of higher education for twenty-first century India with special reference to historical background [D]. Rutgers The State University of New Jersey，1993.

③ Ministry of Education. The Report of the University Education Commission：vol1 [M]. Delhi：The manager Government of India Press，1963：16.

英殖民统治者为了加强对高等教育的控制，同时也为了彻底落实《伍德教育急件》的思想，采取了一系列的措施。1882年，总督里彭侯爵任命22人委员会对高等教育经费、课程和教师聘用进行考察，政府在接受其建议的情况下对高等教育系统进行调整和改革，学院学生就读数量进一步增长。1902年成立的印度大学委员会对大学的组织和管理进行调查并提交报告。1904年，印度颁布了《印度大学法》，严格规定了新建大学及大学实施的各种政策必须通过政府批准，大学副校长由政府任命，总督有权确定不同大学的权限。1917年，萨德勒委员会由政府任命负责调查加尔各答大学存在的问题，其于两年后发布的报告对印度高等教育的发展影响极大，报告声明大学需从当地政府部门谋求更加独立的地位，但在立法、视察、协调、研究以及聘用方面仍需受印度国家政府的管理。

三、独立至今：分权体制下复合式的发展及未来

独立后印度的高等教育管理模式是学习和借鉴美、苏管理模式进行文化移植的结果。1947年印度独立后，印度政府效仿美国的“三权分立”建立联邦制国家，在教育方面体现为实行中央联邦政府和地方各邦政府合作管理的高等教育管理体制；公立高校采用“以国家为中心”的治理模式，私立高校则实行“以市场为导向”的管理模式。其高等教育管理在一定程度上取得了显著的成效，推动了高等教育的繁荣，进而促进了印度社会的发展。

（一）双向驱动中的集权管理（1947—1965）

独立后的印度极其重视高等教育，第一任总理尼赫鲁曾指出：“大学代表人道主义、坚韧性、理性、进步、思想的冒险和真理探索，它代表人类向更高的目标全速前进。如果大学充分履行其责，那么它对国家和人民都是十分有益的。”[①]印度独立后高等教育也走上自主发展道路。1950年印度共和国成立，同年生效的《印度共和国宪法》对中央政府、邦政府以及二者协同运作的教育管理权限做出明确规定：中央是高等教育管理的权力中心，具体的管理事宜由各邦进行。事实上，独立后的前20年中，大学

① 曾向东．印度现代高等教育[M]．成都：四川大学出版社，1987：24.

系统的主要管理权从各邦逐渐转向中央政府，这一变化是在尼赫鲁领导下实现的，使得联邦政府的权力进一步加强。这一时期尼赫鲁控制的国大党无论是在联邦层面，还是地方各邦层面都牢牢处于统治地位。①尼赫鲁的工业化战略要求大学主要为大型国有企业培养技术人员，印度理工学院、国立技术学院、农业大学及区域性职业学院的相继建立就是明证。这些都是通过议会的特殊法案而实现的，以确保联邦政府的绝对控制，并且间接将已有的邦立大学也置于其控制之下。这一阶段，高等教育的管理体系分为两层，上层的管理模式针对单一技术学院，即专门从事某一领域研究的教学机构，如工程专业，由中央政府任命其理事会和理事长，控制招生、教职员工的招聘和评估；较低层级的管理模式与殖民时期基本相同，主要由邦政府控制大学的预算和资金，批准职员的任命，管理教职员工工资和学生学费。在联邦和各邦政府高度控制的双向驱动下，中央集权还是占据绝对优势。然而，需要说明的是，各地方政府并未放弃扩大权力的诉求，对尼赫鲁政府集权政策的批评声也不断出现。

（二）博弈平衡中的分权努力（1966—1985）

1966年，英迪拉·甘地成为印度第一任女总理。她站在平民立场上制定的高等教育发展政策有意识地给各邦政府和大学分权。如1969年大学拨款委员会专门成立针对大学管理的委员会，建议大学应得到更多的自治权，建议凸显学者的作用，增加教师的话语权，另外，呼吁对大学长期运营资金以5年“分批补助”的形式进行拨款，而不是采用更具政治干预性的年度拨款机制。尽管这些建议并未转变为官方政策，但据此能够看出之前的高度集权已然出现缺口。然而这样的权力分化并非是直接和彻底的，处在不断的挑战和博弈中。1976年《宪法》第42修正案的颁布重新布局了教育管理的格局，把一直由各邦负责的教育事务规划到《并行条目》中，中央政府和各邦政府在教育政策制定方面地位相等，但在教育立法方面中央政府权力更大，且中央政府可以直接对各邦发号施令、推行政策，尤其在高等教育方面，加强了

① 孙伦轩，陈·巴特尔．试论印度高等教育转型中的政府作用[J]．高教探索，2018（2）：60-64.

国家对大学的管理并提高对学术的控制。①总的来说，与前两个阶段相比，尽管英迪拉·甘地执政时期仍然是联邦政府主导，但做出了分权努力且开始关注平民教育。

（三）多向互动中的教育共治（1986年以后）

《国家教育政策》（1986）的颁布，印度开始走向多元化互动的教育治理阶段，前一时期的高等教育分权进一步走向深入，此外，私立大学的迅速发展也使私人提供者逐步成为印度高等教育的另一种重要力量，但是从权力来看，其所发挥的作用也仅局限于提供资金资助，高等教育主要还是由各邦进行管理。20世纪90年代初以来，经济自由化、政治多元化和新管理主义思潮的涌入为印度高等教育的治理变革创造了外部环境：政府体制内部分权、市场调控深化、社会参与增加、高校自主权扩大等诸多变化使得原先政府与高校之间的单向驱动关系正在被社会、政府、市场与高校之间更加错综复杂的多向互动关系所取代。②1990年，大学拨款委员会发布《管理的替代模式》报告，讨论了大学治理深层政治化的负面影响。该报告呼吁政府给予大学更多的自主权，并让更多的教师、学生和社会力量参与到大学的管理中；在大学内部，该报告建议权力下放，赋权大学校长，将课程管理、考试和学位授予的责任完全交由附属学院管理，而附属学院的设立和取消也都应当由大学自己决定。分权和共治可以说成为这一时期高等教育的主题，在参与方的多向互动关系中逐步构建起现在印度高等教育治理的体系。

---

① Carnoy M，Dossani. R. The Changing Governance of Higher Education in India [R/OL]. [2014-07-25]. http://www. researchgate. net/profile/Martin_Carnoy/publication/260347070_THE_CHANGING_GOVERNANCE_OF_HIGHER_EDUCATION_IN_INDIA/links/53d28d740cf2a7fbb2e9a6b5. pdf.

② 刘淑华，彭婵娟．20世纪90年代以来印度高等教育外部治理变革[J]．高等教育研究，2017(11)：94-100.

第二节　印度高等教育治理的结构

从结构功能主义的视角来看，高等教育的治理结构是指在一定的价值系统的指导下确定不同利益相关者在高等教育决策过程中各自扮演角色的制度安排，其核心是权力结构，即决策权力在不同的利益相关者之间的分配。本节从印度高等教育发展中出现的众多治理单位出发，试图从庞杂且不断变化的印度高等教育系统中厘清其治理的结构。

一、治理对象：印度高校的类型和层次

印度高等教育组成较为复杂，印度大学以纳附制为组织逻辑，大学可以接纳公立和私立的各类学院作为母体大学的办学单位，各种高等教育学院一般都在学术上附属于本地区的大学。[①]

从行政分级上可以将大学分为国立大学和邦立大学，印度国立大学较少，主要是邦立大学。前者由国家议会确定，是中央重点管理的高等教育机构，经费全部由中央部门拨付；后者则由邦一级议会确定，主要由邦政府资助。

在大学专业类型上，殖民时期就存在严重的专业不平衡，修读文科的学生比例居高不下，这种专业设置与社会对高级人才的需求无法对接，造成了有限教育资源的极大浪费。1948年，大学教育委员会提出要大力发展工程技术教育和农业教育，开始仿效美国赠地学院的模式建立农业大学。第一所为1960年创立的北方邦农业大学。随后各邦响应号召，至1987年，印度创办了23所农业大学，一定程度上缓解了高等教育专业结构严重失调的状况。

从所有性质分类看，印度高等教育系统在《伍德教育急件》影响下形成的纳附制大学以公立大学为轴，接受了大量的由民间团体创办的附属学院。私立的高等教育机构在印度高教系统中一直占据着极重要的位置，公立大学中的私立学院几乎占据了半壁江山。[②]尽管印度联邦政府对高等教育

① 安双宏．印度教育发展的经验与教训[J]. 教育研究，2012（7）：130-133.
② 安双宏．印度教育战略研究[M]. 杭州：浙江教育出版社，2013：137.

实行过强有力的“国有化”政策，即将众多私立学院纳入政府补助体系，挑战了这些学院的私立性，但随着1990年的结构调整改革，高等教育的观念、高等教育的经费结构都发生了显著的变化。国家对高等教育的需求发生了多样的变化，印度高等教育作为一种“准公共产品”需要拓宽自己的发展路径，众多私立大学在各邦内应运而生，私立学院也不断谋求更适宜的发展方式。

值得一提的是20世纪五六十年代，印度开始着手建设“国家重点学院”，这些学院由议会立法通过，受中央政府直接管理，独立于主要由大学拨款委员会管辖的高等教育系统之外。国家重点学院系统基本代表了印度高等教育的最高水平，其独特的地位为其带来了充足的经费和优渥的办学条件，入学竞争激烈，生源质量非常高，印度理工学院就是其中成功的典范。2007年，印度“十一五”计划开启之后，国家重点学院系统开始迅猛扩充，2010年共有33所国家重点学院（其中绝大多数是理工学院），到2019年已经增长至95所。

高等教育治理不可避免的问题就是教育发展和教育公平之间的协调问题。1956年《大学拨款委员会法》颁布后，印度开始建设“准大学”①，这类学校在某些专业领域提供高级课程，可授予与大学同等学力的学位证书。同时高等函授教育也在丰富自身发展路径，最早的印度高等函授教育由德里大学于1962年开办，随后其他大学也陆续开办。1982年，安得拉邦创办了印度教育史上第一所开放大学——安得拉邦开放大学，为高等教育的入口扩宽开辟了新的道路。3年后中央政府成立了英迪拉·甘地国立开放大学，现已成为全世界规模第二的开放大学。开放大学是印度政府面对高等教育发展需求，为解决高等教育公平问题，实现教育民主化，推进终身教育的重要手段。

印度高等学校的类型很多，隶属关系、办学形式很复杂。按照隶属关系，可以划分为国立大学、邦立公立大学、准大学、邦立私立大学、国家重点学院；按办学形式，可以划分为全日制大学和开放大学；按照大学与学院的关系，可以划分为纳附大学和单一大学。

① 也有学者翻译成为“相当于大学的机构”。

表 4-2　2014—2015 年印度各类高等教育学校数量（单位：所）

大学	国立大学	43
	邦立公立大学	316
	准大学	122
	邦立私立大学	181
	国立开放大学	1
	邦立开放大学	13
	国家重点学院	75
	私立开放大学	1
	邦立重点学院	5
	其他	3
	总计	760
学院	38 498	
独立机构	12 276	

资料来源：Ministry of Human Resource Development，Government of India [EB/OL]. http://mhrd. gov. in/statist. 2017-12-01.

从培养层次的视角来看，印度高等教育形成了特色鲜明的学院教育、研究生教育和专业教育。学院教育主要指的是大学以及各类学院的本科阶段教育。印度的本科一般为三年课程。印度学院可分为大学学院（直属学院）、附属学院和由附属学院发展而成的自治学院，这些学院都有培养本科生的资质。

大学学院由大学评议会设立和维持，直接接受大学的控制和管理，因其大多设在大学校园本部，又称为"本部学院"，上文提到的单一大学里的学院都是该类直属学院。随着印度高校的扩张，原先没有自己直属学院的纳附大学现在也基本开始建立自己的直属学院。直属学院的学生数量要比附属学院少得多，但得益于教学水平和经费保障的优势，其学生往往表现更优秀。

附属学院一般只提供相应学位课程，前提是课程设置被上级大学认可，学生参加上一级大学组织的考试，合格者获得由大学颁发的学位。纳附大学对自己附属学院的各项工作进行视察和管理，有权规定附属学院办学标准，包括师资、物资和入学条件等。

自治学院是20世纪70年代开始实施的纳附大学改革的产物。1986年《国家教育政策》表明："要认真总结过去的经验和教训，帮助发展一批独立自治的学院。"[①]随后在国家资助下，众多附属学院改革成为自治学院。尽管中央对这项改革抱有很大的热情，但在实际改革过程中自治学院的发展已陷入停顿状态，因为牺牲在大学中的代表权而换来自治权可能带来弊大于利的后果，对于大学来说，赋予一些不达标的学院自治权也间接影响了自己的声誉。

研究生教育主要是由大学中的研究生院、一些研究所和实验机构承担。基本沿袭了现代高等教育发展的路径，是印度学习西方高校发展的产物。

印度的专业教育介于研究生教育和学院教育之间，包括商科、法律、管理、医科、农业、教育、工程技术及众多技术专业课程的训练，并可以颁发政府认可的大学文凭，包括研究生学历。印度高等教育私营化程度非常高，在专业教育方面尤为强势，其高等教育的繁荣在很大程度上也离不开高等专业教育的发达。专业教育的高效产出满足了正处于发展黄金期的印度对技术型人才的巨大渴求，加之分权化体制下各种高等专业教育都享有适用的发展方式，国家重点机构、各种性质的专业院校为印度的发展孕育了一批专业性极强的人才。

二、内部治理结构：印度高校的学术自治体系

印度《宪法》规定印度的大学是自治性机构，各高校根据法案和章程对大学事务进行分配和管理，不同类型的大学内部体系略有不同，但基本治理框架没有太大差异，仅根据具体法规和学校性质略有调整。这里就印度一般

---

① 张双鼓，薛克翘，张敏秋．印度科技与教育发展[J]．北京：人民教育出版社，2003：299。

大学通行的内部治理结构进行介绍。

（一）内部治理机构

印度大学根据管理章程设立了一系列的权力机构，一般来说教育系统内部权力机关与具体的管理和执行部门是交叉的，大学的内部治理由核心机构执行，核心机构主要有以下几个：

1. 大学委员会，又称评议会[①]

它是大学的最高权力机构，负责大学与社会公众的联系，努力满足社会和公众对大学的要求，并发现大学存在的问题，找寻未来努力的方向，对校内相关具体事务进行讨论和决议，制定大学活动的总方针和总政策。大学委员会人数由大学规模决定，少的90人，多则300人。成员包括行政人员、教师、学生和校内各种团体的代表，也包括毕业生、大学经费的捐赠人代表。大学委员会每年召开一次会议，讨论大学的政策和发展计划，检查学校的年度报告和账目等。会议主席原则上应该是校长或视察员担任，但通常是副校长担任。尽管大学委员会被法律认定为大学最高的权力机关，但实践证明其庞大的规模和复杂的组成人员在民主意识和民主文化尚未达成相当水平的情况下造成了一系列问题，成员身份复杂，开会间隔过长，使他们很难制定出有利于大学发展的建设性政策，往往讨论出的结果又因为复杂的利益关系而难以贯彻执行。由于效率低下，近年来的趋势转为走形式主义路线，大学委员会不再作为最高的权力机关，只作为一个议事的场合。

2. 大学行政委员会

它是大学的主要行政机构，由副校长任主席，在获得上级主管大学机构或大学校长的正式批准下，负责管理学校日常的行政工作，制订、修改或废除学校组织章程和条例。成员一般不超过20人，多数从大学委员会中评议产生，也可以由大学委员会另行选择，或由视察员和校长指定。行政委员会原则上每月召开1次例会，如主席认为必要则可临时召开。

3. 大学学术委员会

学术委员会作为大学的最高学术决策机构，负责大学的全部教育工作：

---

① 安双宏．论印度普通大学内部管理的特色[J]．比较教育研究，2005（8）：13-16.

决定入学条件、课程、科目、考试与学位方面的事务，负责制定与维持本大学的学术标准。根据院系数量及教学、研究人员数量的不同，学术委员会成员的数量也不尽相同，其成员包括院长、系主任、教师代表等，副校长通常也是学术委员会的主席。

4. 院务委员会

该委员会直属大学学术委员会，直接负责管理本学院的教学和科研的机构。由院长出任主席，成员包括教师代表和校外专家。近年来，为了应对人才外流的严峻形势，大学越来越多地邀请校外专家参与大学学院治理。①

5. 其他职能机构

在复杂的高等教育系统内，还有着相当多的具体职能机构，它们都是针对大学内主要事务模块而设立的，旨在保证大学内部机制的协调运行。主要有大学教职工福利委员会、大学生福利委员会、财务委员会、大学选拔委员会、大学入学委员会和大学考试委员会等。

印度大学内部的治理机构基本为法律授予权力的各类委员会，这也是印度高等教育学习西方现代大学民主化、制度化治理结构的结果，故其机构层次与当今世界主流大学的基本结构相吻合。值得注意的是，随着印度高等教育的迅速扩张，越来越多的大学生涌现在印度的政治舞台上，加之教育分权制的基础，学生群体也越来越多地参与到大学的内部治理中，争取利益，这是高等教育民主化过程的必然结果。但需要警惕的是，现实中，印度学生中某些过于激烈的表达方式反而在某种程度上挫伤了民主化高等教育的发展。

（二）内部管理人员

1. 视察员和校长

印度国立大学最高领导者是视察员，由现任政府总理担任。校长经选举产生，但一般由联邦政府的现任高级官员、资深政治家或全国著名学者担任。在邦立大学内，各邦邦长兼任校长或者兼任视察员。在其他私立高等教

① UGC. Higher Education in India：Strategies and Schemes during Eleventh Plan Period（2007-2012）for Universities and Colleges[R]. Working Papers，2011.

育学校中，校长由校董会任命。可以明显看出，在印度高校内，视察员和校长的职位多由具有极高政治地位的官员担任，这在某种程度上也意味着他们无法在高校治理中亲力亲为。所以视察员和校长一般作为荣誉性职务，表现国家对高等教育的重视，他们有权视察高校工作，过问高校一切事务，[①]但实际上并不直接管控学校。例如印度国防大学，是在1999年卡吉尔冲突之后由政府成立审查委员会决定建立的，2013年5月23日，时任印度总理辛格为印度国防大学奠基培土，并出任校长，印度总统慕克吉担任该校视察员一职。[②]

2. 副校长

印度大学最高决策者实际为副校长。负责管理全校的行政和学术事务。在中央大学，副校长一般任期为3—5年；在邦立大学，任期一般为2—4年。一般副校长不能连任。因涉及到教育系统内部的治理，多数大学由著名的学者担任副校长。其产生的程序是，由3人选举小组推荐3位候选人，校长从其中选出1位作为副校长。由于选举小组是由政府批准设立的，其主要成员必须由政府的教育行政官员担任，因此副校长实际是由政府指定的。印度高校基本是由众多委员会进行协商治理的，存在现代政治中“民主泛化”的缺陷。副校长在管理具体事务时受制于许多方面。在印度，大学的发展经费主要依靠政府拨款，多党制下的印度政坛经历过多轮的震荡洗牌，都在极力争取教师与学生的支持，副校长一般也有政党身份，在其中便很难进行高校发展与政党斗争的协调，无法正常行使职责。在印度的“十一五”计划和“十二五”计划中，高等教育都涉及对学术改革的内容，但改革政策忽视了对高校内部管理系统的改革，很重要的一个原因是印度高等教育体制中浓厚的政治色彩。

3. 院长和系主任

因印度大学、学院类型众多，院长的设置情况比较多样化。在政府直接管理的学院中，院长由管理理事会推荐，再由政府教育部门任命。在私立学

---

① UGC. Higher Education in India: Strategies and Schemes during Eleventh Plan Period（2007-2012）for Universities and Colleges［R］. Working Papers，2011.

② 周晶璐：印度成立国防大学，专注国防战略，总理亲任校长.［EB/OL］.［2018-06-08］. http://news. ifeng. com/world/detail-2003：05/24/25673360_0. shtml?_newshao123gj.

院，院长多由理事会直接任命。在单一制大学中，院长由系主任会议推选，由副校长或行政委员会任命。系主任一般为院内资深教授担任，随着高等教育的繁荣，教职的增多，许多大学的系主任为民主推选，轮流担任。院长和系主任垂直管理各院事务的职务，相比副校长，实际上对学院的发展有着更强的执行力。教学工作的分配、教学岗位的设置与取消、教师的聘用以及科研方面的工作都由其直接负责。

上述介绍的大多是印度普通高校的一般内部结构。当然印度还有众多的高等专业学校以及特色鲜明的“国家重点学院”，但大多内部结构的框架一致，都是在具体法案下实行委员会的民主自治。其中模仿西方大学学术自治的痕迹明显，这在很大程度上是由于印度《宪法》规定高等教育管理权归各邦所有导致的，分权自治的民主化思维在高等教育内部中孵化成为了众多委员会以及各司其职的管理岗位，保证了行政事务和学术事务的合理运行。

需要明确的是，印度大学的内部治理还远远谈不上真正的学术自治，与西方大学所倡导的“教授治校、学术自由、大学自治”还有着相当远的距离，无论是中央联邦政府还是地方各邦政府，对高校内部管理结构的渗透都十分明显。过于繁杂和庞大的高等教育系统带来的集聚效应红利有限，同时衍生了一系列的治理困境。在内部结构中，如大学与学院之间的矛盾，操之过急的高等教育发展指导思想导致教育覆盖面积的扩张成为一种狂热，一些不合格的学院创办者想方设法通过政治、经济和社会等方面的影响向大学施加压力，从而以较低标准进行学院建设。单方面追求高校数量的繁荣，内部结构的管理不合理问题依然存在。值得肯定的是印度政府早在“十一五”计划期间就提出高等教育管理体制改革的目标为自主办学、简政放权，以期实现对现存大学及其附属学院治理结构的调整和重构。比如：扩大高等教育的办学自主权和增强其自主办学的能力，放权院校决定本校自己的发展战略和方向；给予院校教师招聘自主权；鼓励院校自主多渠道筹措和支配经费，包括根据市场价格自定学费标准等。从中我们能明显看出印度对于自身高等教育“升格”的需求。

三、外部治理结构：印度高校的分权治理

印度联邦体制下的高等教育事务由中央政府和地方邦政府合作管理，具体管理权限属于邦一级。《宪法》规定了高等教育属于各邦条款的内容，各项专门法规定了邦政府享有的高等教育事务权限。但实际上由于《宪法》设有关于中央联邦政府和地方邦政府的“并行”条款，各邦的权力大多受到中央限制。《宪法》规定中央政府有权“协商并决定高等教育机构或者科研学术机构的标准”，这种含混笼统的说法极大程度上使得中央政府可以干预地方在高等教育事务上的方方面面。尽管如此，地方各级政府在高等教育治理中仍享有一定的地位，对高校建设起着直接作用，印度高等教育在分权治理的模式下摸索着未来的发展路径。

（一）中央政府：高等教育治理的权力中心

印度中央政府在《宪法》修正后对高等教育享有较大的管理权，具体而言，中央政府可以制定高等教育发展规划；协调和决定高等院校的标准；组织实施高等教育发展的具体计划；通过财政控制手段提高教育质量；推动大学和校际之间开展科学研究；进行高等教育有关方面的改革；批准和管理中央直属大学、理工学院和研究机构；促进高等教育的理论研究；促进国内外大学、学院的合作与交流；建立和保持与联合国教科文组织、有关机构和基金会的联系。①

中央政府主要通过人力资源开发部对高等教育进行全方位的治理，由人力资源开发部下属的高等教育司具体负责。人力资源开发部始建于1985年，旨在增进社会全体人民的知识和能力。高等教育司统领全国高等教育方针的确定和政策的出台，是中央政府最重要的高等教育治理机构。

从20世纪50年代开始，中央和地方针对教育事务进行过长期的协商和斗争。在中央集权化的政治趋势下，中央政府对教育事务，特别是高等教育事务的参与越来越多，《宪法》通过给予中央政府规定高等教育标准的权力，使最高法院（与中央政府有着更为紧密的联系）实际成为判定教育事务

---

① 安双宏．印度政府对高等教育的管理[J]．比较教育研究，2006（8）：35-38.

权限的唯一机关，司法干预加强了中央在高等教育领域的地位。

（二）地方各邦政府：高等教育治理的绝对主体

虽然《宪法》第42修正案将教育事务权限规划到《并行条款》中，但是地方仍享有建设和管理邦立大学的权力。邦立大学及其附属学院占据了印度高等教育机构的绝大多数，使得邦政府成为参与高等教育治理最多和最广的主体，约80%的高等教育机构受到邦一级政府的直接控制。邦政府负责大学的建立，也影响乃至控制大学的管理。与国家总理兼任国立大学校长类似，邦立大学的校长基本都由现任邦长兼任。邦政府对大学最主要的影响体现在对副校长的任命上，副校长是印度大学的实际最高管理者。按照惯例，副校长人选由专门的选举委员会推荐，邦长批准。如果邦长不同意，选举委员会推荐的人选就无法任职。而且，选举委员会的3位成员中必须有1位是邦长指定的代表。

邦内主管教育事务的机构一般称为邦教育部，又有文化教育部，以及农业部兼管农业教育，卫生部兼管卫生教育等设置。

（三）各级各类咨询机构：高等教育治理的中坚智囊

印度政府通过立法或委任等手段成立了众多治理组织，以独立或半独立的自治形式针对高等教育具体事务进行考察、研究并向相关政府部门或权力机构提交咨询报告。它们在高校治理的参与过程中往往扮演着更加专业和权威的智囊角色，这些机构相对而言拥有一定的实权，它们提出的教育措施往往更具建设性，甚至有少数咨询机构对高等教育发展起着关键作用。

1. 大学拨款委员会

大学拨款委员会是印度高等教育治理中最为权威和最具影响力的组织，是模仿英国大学拨款委员会建立的。随着印度经济领域开始学习苏联的计划经济体制，联邦政府开始谋划如何给高等教育提供合理的资金支持。1953年12月，印度大学拨款委员会应运而生，具体运作由1956年通过的《大学拨款委员会法》加以规定。较之英国大学拨款委员会而言，印度大学拨款委员会不仅聚焦大学的财政需求和拨款问题，而且拥有额外的权力。该法规定大学拨款委员会通过与各大学及其他有关团体协商，有权采取它认为适当的措施，以促进和协商大学教育的发展，决定并维持大学中教学、考试及科学研究标准。具体而言，它可以调查各大学的发展现状，据此进行分配拨款，建立并批准资源共享机制，提出改善高等教育的措施，还可以监督经费使用情况和建议创立新大学，甚至有权决定高校重要职位的任免以及大学的质量标准，权力涉及范围非常广。

大学拨款委员会包括12名委员，设正副主席各1名，其他委员有2名为印度政府官员代表，分别是人力资源开发部和财政部的国务部长，有4名为大学教师，其余则为各行业专家。所有委员都是由人力资源开发部任命的。①

大学拨款委员会的建立对印度高等教育发展有相当重要的意义。印度政府一般不直接对大学进行拨款，大学拨款委员会在中间就起到了良好的中介作用。一方面它协助政府对大学进行评估和资助，起到了监督和管控的作用；另一方面它也成了大学的代言人，将高校的发展需求向政府进行汇报，对政府提出一定的要求。作为“缓冲器”，它既维护了高校的治理自由，又能够传递国家影响，确保政府拨款的有效利用。②

但大学拨款委员会存在的问题也十分明显。首先，其拨款倾向性问题非常严重，每年将近65%的拨款预算给了国立大学和首都地区的学院，③给民众带来的强烈印象是似乎只有国立大学才是大学拨款委员会和中央政府需要承担责任的大学组织。其次，其软弱的作风和低下的效率也屡次被攻击，大学拨款委员会成立了一批专门委员会应对具体教育问题，一部分沦为形式，一部分得不到政府重视，大量的教育问题仍旧被搁置。大学拨款委员会有权对全国高等院校进行审查，然而审查不力的情况时有发生，其“为了不损害大学学术氛围”的解释让批评者觉得十分勉强。

总而言之，印度大学拨款委员会作为高等教育治理机构中最重要的一员，对发展印度高等教育起到了相当大的推动作用，有了大量的计划经费的

---

① 安双宏．印度大学拨款委员会及其对我们的借鉴意义[J]．比较教育研究，2003（12）：55-58.

② 李雁南，王文礼．印度大学拨款委员会的建立及意义[J]．现代教育科学：高教研究，2015（3）：158-162.

③ Agarwal P. Higher Education in India：The Need for Change[R]. India Council for Research on International Economic Relations，2006.

资助，公立高校的办学条件得到了改善，为印度高校的教书育人和学术研究创造了良好的环境。但陈旧制度的窠臼加上无处不在的政治利益，大学拨款委员会要想在高等教育治理中发挥更大的作用，还需要不断地摸索和改变。

2. 国家评估与认证委员会

在1986年《国家教育政策》出台后，为了提高印度高等教育质量，国家评估与认证委员会由大学拨款委员会于1994年建立，是专门从事全国高等学校评估和认证的自治机构。下设总理事会、执行委员会以及学术、咨询和管理分委员会，总部设在班加罗尔。其主要成员是大学、学院和专业机构的资深学者和教育管理人员，同时也包括来自大学拨款委员会和人力资源开发部等组织的代表。

国家评估与认证委员会基本采用自评和外部质量评估的院校评估方式，主要工作包括：对高等院校或相关单位及其具体学术计划和科研项目进行定期评估与认证；为高等院校教学与科研质量的提升营造学术环境；鼓励高等教育的自治与革新；为质量评估、提升和可持续发展同高等教育的其他利益相关方进行合作。[①]国家评估与认证委员会借鉴国际上先进评估机构的经验，制订了适应印度国情的评估模式并得到了国际上的广泛认可，以常任会员的身份加入了亚太质量网络组织。国家评估与认证委员会对印度高校的教学、科研和管理产生了较大的影响，增强了高校的质量意识，部分院校开始重视质量管理，施行同行评议；使院校对自身发展有了更为明确的目标，通过改进教学策略，改善学生服务，激励研究文化和扩大院系间合作的方式不断优化着发展路径。

3. 全国教育研究与培训委员会

该组织由中央政府于1961年成立，是一个完全自治的社团性组织，负责协助各级政府教育政策的实施，同时对其行使建议权。建立该委员会的主要目的是：承担、推进和协调有关学校教育的研究；开发教材；开展教师教育，进行教师职前职后培训；与各邦教育部门、大学和非政府组织保持紧密联系，充当信息交流中心。该委员会在不同地区下设有多个分组织，包括

---

① NAAC. mission.［EB/OL］.［2018-10-16］. http://naac. gov. in//index. php//about-us#vision.

首都新德里的国家教育研究所和中央技术教育研究所以及各地的分教育研究所。实际上由于大学拨款委员会的存在，在高等教育治理中，全国教育研究与培训委员会参与度较低，它主要针对中小学阶段的教育政策建言献策，但作为自治社团仍一定程度上参与高等教育事务治理。

4. 印度技术教育委员会

由于印度专业高等教育的发达，特别是理工学院在印度高等教育领域的兴盛，印度技术教育委员会在众多教育自治组织中具有格外重要的地位。印度技术教育委员会成立于1945年，起初作为咨询机构而存在，提出的政策建议不具备法律效力，但在印度技术教育领域影响非常大。1987年《印度技术教育委员会法案》通过后，印度技术教育委员会被赋予了相应的法定权力，其作为科技教育领域的最高咨询和管理机构，有权向各级政府和相关主管部门就技术教育的发展提出建议。与高校治理相关的权力包括审批高等技术院校的设立与专业的开办；为高校等技术院校制定规范与标准；对高等技术院校或专业的质量进行认证；等等。

印度技术教育委员会主要由5个处组成：审批处、政策与学术规划处、管理处、院校研究与教师发展处、财政处。审批处负责对新建技术高校资助提供建议，政策与学术规划处负责与各邦和其他机构共同对技术教育发展政策与学术规划开展研究，管理处负责任命各个机构和各个协会在委员会的代表，通过召开会议、培训委员会职员一起提供组织支持财政处负责委员会的资金往来，制定财务计划。

5. 其他高等教育自治组织

除上述教育组织外，印度还有丰富的政府代理组织或社会团体组织参与到高等教育治理中。由于印度高等专业教育的发达，除技术教育以外其他领域也有相关自治机构参与教育治理，如印度农业研究委员会、印度医学研究委员会和印度律师职业委员会等。还有一些社团性的教育组织，如印度大学联合会、印度社会科学研究委员会、科学与工业研究委员会和全国乡村高等院校委员会等。这些都是印度高等教育治理中重要的智囊，各自在专门的领域里建言献策，对印度高等教育的协调发展做出了贡献。

在各级各类咨询组织中，大学拨款委员会无疑扮演着最重要的角色，它本身是中央政府的决策成果，加之又控制了高等教育发展的关键资源，在高等教育的方方面面都能看到大学拨款委员会的身影。其他组织一般参与具体领域的高等教育治理，作用不可小觑。但从目前来看，这些组织之间的交流和合作较少，甚至出现了相互掣肘的情况，印度高等教育的发展和改革也许需要这些智囊团在将精力投向高等教育治理的同时给予自身变革一定的关注。

（四）经费保障体系：高等教育治理的重点事务

人力资本理论的诞生让人们意识到进行教育投资的重要性，人力资源的开发是社会持续发展的重要基础，高等教育作为教育体系的最高层次，所培养的人才将直接进入社会各领域从事专门工作。高等教育投资的数量和质量直接影响到人力资本水平的高低，从而影响到经济发展和社会进步，所以历来教育经费是高等教育治理中最为重要的治理事项。

印度的高等教育经费主要有三方面的来源：第一，中央政府和各邦政府的预算拨款，这里面包括大学拨款委员会、中央人力资源开发部下属的高等教育司和各邦政府下属的教育主管部门的预算拨款；第二，学生学费；第三，个人和国外机构的捐款。另外各专门主管部门对相应的高校也有一定的资助，如农业和工业部。独立以来，印度政府对高等教育一直极为重视，相当长的一段时间内政府承担了绝大部分的高等教育经费支出，相对而言学费和捐赠对于整体经费的占比就显得微不足道了。印度公立高校缴费不多，学生的学费大多都由政府承担，而私营院校所能收取的学费在整个教育经费体系中的占比非常之小，对于高校的发展需求来说远远不够。当然，印度高等教育在发展伊始接受了大笔的国际援助，比如联合国教科文组织的资助，以及来自苏联提供的教师专家专业资助，印度理工学院孟买分校就是在苏联的援助下建立的，而后联邦德国、美国、英国也纷纷对印度的高等教育建设施以援手。特别是美国，政府、福特基金会、洛克菲勒基金会大力相助，使得印度即使在20世纪五六十年代经济发展非常落后的情况下也保证了高等教育事业的稳定。

但印度政府在教育经费分配上存在相当大的问题。宏观层面上，高等教育经费占据了教育经费的绝大部分，致使教育结构失衡。在高等教育领域，国立大学和邦立大学可以享受到政府大量的投资，而其他的院校或是私立机构在经费方面就显得捉襟见肘，大学拨款委员会的资助方式就是证明，下图也一定程度上解释了高校获得经费资助的状况。[①]而这大量的经费资助，主要用于支付高额的教职工工资，1969—1970年教育经费中工资的比例为46%，而在1979—1980年工资所占比例增加到63%[②]，职工工资在教育经费中一直占据着最大的比例并且有不断上升的趋势。相反，对于大学而言极为重要的科研经费需求很难被满足。部分得不到资助的高等教育机构只能维持低效率的生存状态，对于高等教育的发展没有贡献。无论是整个教育领域还是高等教育内部都呈现出较为明显的不公平问题。

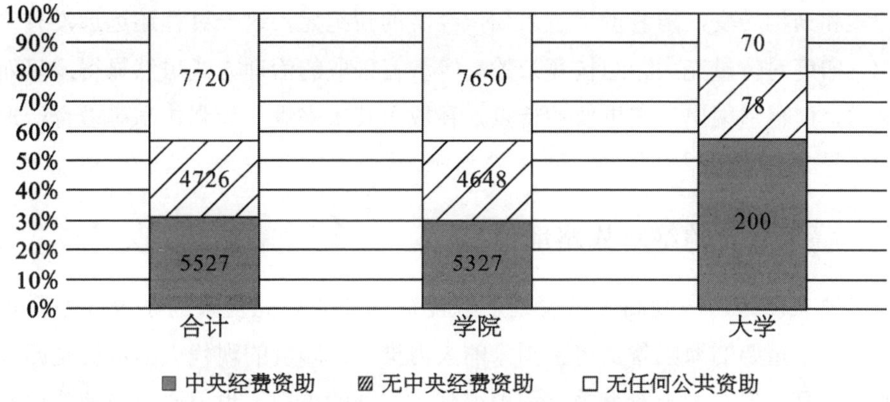

图 4-1　高校机构接受资助情况

1986年《国家教育政策》出台，对高等教育的质量、规模和公平性影响深远，部分程度上改变了国家包办高等教育的状况。从20世纪90年代开始，由于严重的政府财政赤字，高等教育经费数额已经在不断地下降，印度高等教育经费体系不得不进行变革，提高学生学费在所难免。紧接着政府开始不

① Agarwal, P. Higher Education in India: The Need for Change[R]. New Delhi: ICRICER (Indian Council for Research on International Economic Relations), 2006.

② 王长纯．世界教育大系・印度教育[M]. 长春：吉林教育出版社，2000：407.

断放松对私营高等教育机构的控制，使这些私立高校成为真正自筹资金的学校。高校为了获得充足的经费也积极向社会提供有偿服务，将科研成果转化为经济效益来补贴经费的不足。同时印度政府也在调整高等教育在预算中的支出比重，在最新的“十二五”计划中，高等教育的支出比重从占GDP的1.22%提高到1.50%。教育经费总额随着印度经济的回暖也有所提高。

第三节　印度高等教育治理的特点

印度独立的时间不过70多年，但对高等教育的治理经历了漫长的模式探索和结构转变，随着世界进入知识经济的新纪元，这一过程还远远没有停止。印度对体量庞大、结构复杂的高等教育采取的治理方式虽然显得反复而无常，但也呈现出一些重要的特点，释放出其未来进一步强化高等教育治理的信号。

一、高等教育的绝对战略地位

独立以来，印度高等教育之所以能成功建立如此复杂的系统并不断扩张，一个重要的原因就是得到国家的大力推动。印度的现代大学尽管是西方的舶来品，但在本土发育的过程中得到了充分的重视，也因此快速地扎根并与民族特性有机融合。高等教育与经济、社会的关系逐渐被众多经济理论提及，其规划意义也不再仅仅局限于教育领域，而成为国家经济、社会发展的重要组成部分。印度著名经济学家阿马蒂亚·森发现人类“可行能力”和发展之间的关系，拓宽了人力资本理论的外延并强调了教育在社会发展中的重要作用。印度政府不断地赋权相关委员会对教育管理方式进行改革，并把教育目标纳入到国民经济发展规划之中，将实施高等教育视为实现国家发展目标和进行社会、经济和文化变革的一种强大工具。

21世纪开始的10年，印度高等教育入学人数年均增长了7.4%，仅次于中国的11.6%，[①]从入学率上来说，印度高等教育在“十一五”计划的末尾已进入大众化阶段，但与发达国家或主要发展中国家相比仍存在着较大的差距。在“十二五”计划中，印度政府明确表示，到2017年，印度高等教育毛入学率将达到30%，在校生规模将达到2 200万，高等教育体系在产学合作、国际化、包容性、管理、质量方面将取得实质性进展。政府对高等教育的重视带有明显的一致性，高等教育长期以来是印度教育战略乃至国家战略中的重要组成部分，事实上大部分重点高校都已达到福利化程度，这为印度高等教育的跨越式发展奠定了基础。

然而需要警惕的是，印度政府国家战略的实施结果往往与制定战略时的预期有着明显落差，这也造成了国际社会对印度的印象是：将过度的热情投入到不符合现实发展规律的目标之上，忽视了国民的基本发展需求。2010年之前，因为缺乏足够的发展经费，印度的初等义务教育对于大多数人来说都是收费的，这对其重点发力的高等教育产生了深远的不良影响，因为大部分下层阶级出身的儿童在中等教育阶段结束之前就被淘汰了。高等教育固然能够贴合时代发展的主题，但失衡的印度教育结构很难进一步刺激高等教育的产出。高等教育作为国家战略不应该与基础教育或是中等教育发生冲突，作为一种发展观念，教育应该被视为一个连续的整体。尽管高等教育作为一种国家发展战略是必需的，但高度政治化的高等教育治理状态对教育成就的影响是存在的，这种绝对的战略地位需要结合印度教育发展的现状被重新审视。

二、政府间的分权与合作、对抗及协商

毋庸置疑，民族独立运动和政治民主化运动在印度取得了成功，这个曾经辉煌的文明古国所在地出现了新兴的联邦制民主国家。现代性的民主政治思维冲击了种姓制度意识的旧桎梏，在文化教育上的自觉意识引导了中央政府和地方政府的分权治理模式。在独立初期的印度，各邦享有较大的自主

---

① 杨晓斐．卓越、扩张、公平——印度高等教育“十二五规划”“三极”战略述评[J]．比较教育研究，2014（12）：45-50.

权力，可决定建不建大学、建什么样的大学以及如何建好一所大学，中央在立法上仅就高等教育原则、标准和方向问题进行规定，对高等教育事务进行干预指导，而不直接插手。面对高等教育如此大规模的资源再分配，往往能够以更有效率、更具灵活性的方式参与高等教育治理。纵观印度现代大学的发展史，可以清楚地看到在分权体制下，印度大学的两条发展轨迹：中央高校的精英、综合路径和各地方的普及、扩张路径。印度高校在数量上的膨胀是不可忽视的，但需要明确的是中央联邦政府一直努力为印度高等教育的绝对高度进行着顶层设计，同时各地方政府在谋求高等教育发展的宽度和广度，以在全印高等教育事业中占据一席之地。分权的民主思维催生了印度高等教育发展的多样性，中央和地方各司其职，结合目标规划形成了多维和复合的治理模式。并未造成割裂的重要原因是二者在分权模式中寻找着合适的契合角度，卓异论和种姓制度依然在印度民主社会中留有痕迹，动荡和混乱的政治局面是可以被观察到的既定事实，面对共同的发展问题，中央和地方通过大量的教育组织开展合作保证高等教育的良性发展。由中央授权的大学拨款委员会对全国大学、学院以及其他重点高等教育机构进行资助，作为最佳的联邦政府代言人与各邦开展合作，维持了印度高等教育的协调和有序的发展。

20世纪下半叶以来，印度政治的集权化趋势在众多联邦制国家中格外明显。中央极力在各个领域渗透自己的势力，以达到在国家发展的初期快速起步的目的，在教育领域也是如此。不顾教育结构失衡的风险而投入大量的人力物力于高等教育之中的“最高指示”就带有一定的强权意味。在印度教育的发展过程中，中央不断地争夺更大的发言权，同地方政府进行一系列的博弈。最典型的便是“教育”在印度《宪法》中的位置，从“邦条款”到“并行条款”，司法干预给中央创造了巨大的治理空间，邦政府不得不在很大程度上听从中央政府指示。受到中央青睐的大学往往能生存得更加稳定，而一些普通高校的教学质量明显低于重点大学。为了发展本地区的高等教育，各邦政府作为教育治理的直接执行单位意图稳固自己的自治主体角色，极速地扩张所属大学和学院的领域，邦立大学、学院和邦立重点机构纷至沓来。在对抗的过程中，印度政府开始对高等教育进行一系列的改革和指导，中央在教育规划中开始提高扶持经费数额，发展开放大学和自治学院以尽量做到教育平权，通过评估委员会和具体的主管教育组织对现行高等教育机构进行鉴定，保证各级高校的教育质量，这其中，协商的模式最大程度缓和了政治对抗对高等教育治理的影响。

三、私营化改革趋势的继续深入

半个世纪以来，印度私立院校的发展是惊人的，印度的政治家们也更多寄希望于通过国内私立院校的增长来弥补高等教育发展的不足。经历了独立早期的私立高等教育国有化阶段以及20世纪90年代的结构调整改革后，印度高等教育进入私营化的发展阶段，自筹学院从出现到迅猛发展，成为私立高等教育最重要的形式，进而不断刺激新的私营高等教育形式的出现。2002年，恰蒂斯加尔邦出台本邦的《私立大学法》，尽管由于不顾大学标准过度扩张于2005年遭到了起诉，被最高法院宣判为无效，但在私立大学的创办方面迈出了坚实一步，由此最高法院承认在遵循大学拨款委员会的办学标准的前提下，私人和各邦是有权创办大学的。此后，不断有新的邦出台《私立大学法》，一大批私立大学在大学拨款委员会的认可下建立起来。同时公私合作办学方式也初步发展起来，印度高等教育“十二五”计划提出：“在高等教育领域内，要通过可行的和创造性的公私合作模式，积极推进私有化改革，要从更务实的角度重新考虑现有的教育‘非营利’的规定。”[①]与传统的私有化相比，公私合作办学拓宽了私人资本的运用渠道，提高了资本运用效率，在节省公共开支的同时又有利于公共目标的实现。政府可以通过与私人机构的协商与合作决定高等教育这种公共产品的质量标准，而不仅是将某一部分所有权出售。私营化改革的不断深入扩充了印度高等教育的容量，维护了高等教育的公平，治理思维的改变释放了高等教育的活力，也满足了印度在发展紧要关头对人才的需求，特别是对技术型人才的需求，因为大部分私立高等教育都是面向市场的技术高校。

---

① 吴媛媛，安双宏．公私合作：印度高等教育改革的新方向[J]. 继续教育研究，2013(2)：152-154.

就如整个印度高等教育过于“急躁”的扩张一样，高等教育私营化的道路也过于追求速度而忽视了质量。大学拨款委员会的报告表明，有相当数量的学院没有得到其认证，只有一小部分私立院校得到了国家评估与认证委员会的认证。尽管中央一再强调办学标准的重要性，但在分权体制下，“各执己见”的状况时有出现，特别是在众多利益聚合在一起的私立高等教育当中。这使得印度高等教育私营化发展呈现出巨大的分裂。大量的私立院校是印度社会政治经济的产物，满足了教育发展的需要，但是存在的质量保障问题十分明显，私营化改革还需继续深入。

四、国际一流大学的愿景逐渐浮现

塞缪尔·亨廷顿在文明冲突论所阐述的最重要的观点之一就是未来世界的国际冲突的根源将主要是文化的而不是意识形态的和经济的，全球政治的主要冲突将在不同文明的国家和集团之间进行。而承载文明的最重要的载体之一就是教育，随着一个国家逐渐强盛并走向世界舞台，高等教育自然需要摆在国际层面进行对比。

印度政府始终坚持培育本国高等教育的国际竞争力。21世纪以来，印度高校也开始与国外一流大学开展合作，引进优秀外国大学学位授予项目，派遣留学生和吸引留学生。值得一提的是，作为高等教育规则潜在的变革力量，慕课在印度的发展局势非常好，用户量全世界第二，印度通过这种开放的教育方式在接轨世界的过程中没有遭遇太大的困难。事实上这种愿景从中央加大对高等教育事务的参与力度中已开始体现，尽管方式与民主制度略显冲突。中央政府几乎是集中所有资源建设重点机构，印度理工学院和印度管理学院可以说在发展经费上很少碰到其他印度高校所遇到的困难。同时印度高校的综合化改制也一直在进行当中，附属型大学开始建立自己的学院，附属学院开始独立出去，政府对综合型研究大学的青睐变得越来越明显，这一切背后的原因是世界一流高等教育所需要的高精尖特性和广博的体量。为了保证一流大学的顺利成型，政府的治理角色也逐渐发生了改变，学者、校友和外部人员构成的董事会逐渐接管了大学的治理权，尽管印度高等教育中的政治色彩还很浓厚，但大学内部治理结构仍在不断寻求完善。

印度在殖民地时期建立了现代意义上的高等教育制度，而其治理体系则是由殖民地时期到现在通过不断调整而形成的。综观其变革历史可以发现，印度不同时期对高等教育治理体系的整体设计都基于执政者统治利益、当时经济社会发展要求以及高等教育自身发展的综合需要。当前印度对高等教育治理的强化，既是对国家治理模式和21世纪以来市场经济环境变化的回应，也是解决高等教育系统内突出现实问题的有效途径。推动高等教育治理变革，提高治理能力和水平依然是印度高等教育改革的重点计划。

第五章 印度附属学院的协作治理

印度是世界上第二人口大国，其高等教育在学人数位居世界第三，仅次于美国和中国，其高校数量位居世界第一，其中附属学院占比最大，附属学院成为印度高等教育的一大特色。印度附属学院是印度大学附属制的产物，印度大学附属制形成于殖民统治时期，是依据英国伦敦大学模式设立的，当这种模式传入到印度并结合印度的国情后，发挥了强大的作用，经过160多年的发展，附属学院的力量逐渐壮大，已经成为印度高等教育的主力军。

第一节 印度附属学院治理的历程

印度附属学院是指依附于大学，由大学负责招生考试、颁发学位证书的一类学院。一般将接纳附属学院的综合性大学称为“纳附大学”或者“附属型大学”。纳附大学负责制订附属学院的教学计划和教学大纲，组织考试并颁发学位证书。印度的附属学院有公立和私立两种类型。一所纳附大学既可以有公立附属学院也可以有私立附属学院，但总体来说，印度附属学院约有四分之三是私立的。

印度附属学院的发展经历了三个阶段，与之相对应的印度附属学院治理因时代发展也有所变化。

一、附属学院初创期的直接管理（19 世纪下半期）

印度在1857年相继创办加尔各答大学、孟买大学和马德拉斯大学，[①]并由此建立了附属制度。大学的主要职责是为附属学院的学生举办考试，并对

① 王长纯．世界教育大系·印度教育[M]．长春：吉林教育出版社，2000：366.

合格的学生授予学位，这是对伦敦大学办学模式的模仿。附属学院从大学那里获得教学的许可，并输送学生参加大学所举办的考试以获得学位。附属学院必须定期接受纳附大学的视导，并按视导的建议改进教学。

在这一阶段，附属学院的发展呈现出自由放任的特点。根据补贴政策，无论是公立还是私立院校，只要遵守政府制定的法规，就可以从政府获得财政补贴。这一政策促进了私立高校的发展，许多私立高校成为大学的附属学院，从而进一步推动了附属院校的发展。在这一背景下，政府不再建立新的大学，而是鼓励个人和非政府组织建立私立大学，从而加速了私立高校的崛起。两个政策结合，进一步促进了印度附属学院的快速发展，由1857年的27所增加到1882年的75所。

这个时期，纳附大学对附属学院直接进行管理，纳附大学严格控制附属学院各方面事务。由于初创期的附属学院数量并不是很多，纳附大学能够对它们进行有效管理。在纳附大学的直接管理下，附属学院教学质量不断提升，大大促进了印度高等教育的发展，满足了民众对高等教育的迫切需求。

二、附属学院管理直接管理与间接管理的矛盾期（20世纪上半期）

印度的大学附属制在早期表现良好，但是，在19世纪末20世纪初，印度附属学院数量的快速增长，1901—1902年度，附属学院共有192所，高等教育经费却没有同比例地增加，影响了高等学校的发展，印度高等教育质量不断下降，因此印度大学附属制度受到质疑，当时尚属于发展初期的附属学院，大学缺乏对附属学院的管理经验，对附属学院的管理形同虚设，附属学院自身也缺乏足够的动力提高质量。因此，附属学院差不多处于自生自灭的状态，寇松勋爵观察到："附属学院教学质量低下，学生学习效果不佳，教师教学水平不高，宿舍拥挤不堪的学生，恶性商业竞争带来的学费陡降，毫无章法的管理。"

为了加强对附属学院的管理，英印政府于1904年颁布了《印度大学法》，规定每所大学都有自己的辖区，辖区内的学院都要附属于这所大学。同时，加强了政府对大学领导机构的官方监督，规定政府有权批准和否定大学评议会制定的规章，并规定了私立学院与大学建立附属关系要经过政府批准。另外，明确了新设附属学院必须具备的条件，强调了大学对附属学院的督导。严格管理直接导致此时期附属学院数量的下降，从1902年的192所，1907年下降到174所，1912年下降到170所。①

三、附属学院治理的自治改革期（20世纪50年代至今）

虽然附属学院很大程度上促进了印度高等教育的发展，但因为附属学院的数量增长过快，对于纳附大学来说，在短时间内满足几百所附属学院的常规需求非常困难。因此，纳附大学和附属学院之间的关系逐渐恶化，导致了附属学院在整个高等教育体系中的地位降低。②印度社会各界人士开始反思大学附属制度结构上的缺点。他们认识到纳附大学对附属学院的绝对管理限制了附属学院的自主性，因此，印度政府开始寻求附属学院改革的出路，附属学院自治就是这个时期改革的大势所趋。

最早提出附属学院自治建议的是科塔里委员会。该委员会在1966年发布的《教育与国家发展》报告中提出了附属学院自治的想法，即："大学中凡已表明自己有能力显著提高其质量的优秀学院，就应该考虑授予它们自治的权力，使其成为自治学院。自治学院可以制定自己的入学章程、规定学习课程、举行考试，而母体大学的作用将只是进行一般的解读和实际的学位授予。"③

在印度"五五"计划（1974—1979）中，再次提到了发展自治学院的计划，指出应该由计划委员会与教育和社会福利部合作，共同实施自治学院计划，并提出要尽快达到10%的学院取得自治地位的目标。

对印度高等教育发展影响甚巨的大学拨款委员会在1978年发布的《印度高等教育发展：改革框架》认为：直接教学的附属学院还需要纳附大学的

① Ministry of Education. The Report of the University Education Commission：vol1［M］. Delhi：The manager Government of India Press，1963：20.

② 王文礼．印度附属学院自治面临的挑战及路径选择［J］. 高教发展与评估，2017(1)：88-96，129-130.

③ 中央教育科学研究所比较教育研究室编．发展中国家高等教育改革研究［M］. 贵阳：贵州教育出版社，1991：67.

认证，由纳附大学对招生、教学内容、课程计划、学生评定进行评价是十分荒谬的，重申自治是附属学院改革的当务之急。为了确保自治学院的教学质量，大学拨款委员会还加强了对自治学院的监控，一旦不符合相关要求，就会取消学院的自治地位。但由于附属学院的依赖惯性，申请成为自治学院的附属学院为数极少，1983年才有10所附属学院成为自治学院，1986年有21所，仅占学院总数的0.4%。[①]

1986年《国家教育政策》指出要对当时存在的5000所附属学院进行改革，要大力发展自治学院以代替附属学院。自治学院能够自由设计课程，研发新的教学、研究和学习的方法，实现学术管理的分散化。

之后印度加快了发展自治学院的步伐，1993年大学拨款委员会颁布了《修改后的自治学院计划指导意见》，就附属学院向自治学院的改制做出了明确的规定。另外，还采取了一定的扶持措施：附属学院改制为自治学院后，无论是国立大学的自治学院还是邦立大学的自治学院，不论是公立的自治学院还是私立的自治学院，都可以获得大学拨款委员会的直接资助，不再需要经过纳附大学的转手。

虽然从科塔里委员会就开始提出改革附属学院的建议，1993年大学拨款委员会更是对附属学院如何向自治学院改制做出了非常详尽的规定，但由于各种因素影响，到1995年，印度自治学院仅有109所，只占全国学院总数的1%。

附属学院的自治是印度高等教育由附属制治理到自我治理的一个飞跃。[②]附属学院被赋予了自治的权力，变为自治学院，拥有完全的学术自由，而不再只是纳附大学的教学点。附属学院向自治学院的转变主要体现在两方面：一方面提高了学院的学术组织权力；另一方面提高了学院的管理效率，将行政管理权下放给各学院。

---

① 中央教育科学研究所比较教育研究室编．发展中国家高等教育改革研究[M]．贵阳：贵州教育出版社，1991：67.

② 王文礼．印度附属学院自治面临的挑战及路径选择[J]．高教发展与评估，2017(1)：88-96，129-130.

第二节　印度附属学院治理的结构

印度附属学院经历160多年的发展形成了世界上最庞大的高等教育系统，在印度，大部分的高等教育教学任务都由附属学院承担。根据2013年的统计，拥有附属学院最多的前五名大学分别为：奥斯马尼亚大学（海得拉巴邦），有901所附属学院；浦那大学（马哈拉施特拉邦），有811所附属学院；那格浦尔大学（马哈拉施特拉邦），有800所附属学院；拉贾斯坦大学（拉贾斯坦邦），有735所附属学院；孟买大学，有711所附属学院。附属学院就读的本科生比例约占89.3%，硕士生比例为7.2%，博士生比例为3.5%。

印度附属学院的管理机构设置完善，分工明确，各管理机构共同合作构成了一个有序合理的治理结构。它主要包括两方面：一是外部管理，主要包括政府、纳附大学、第三方机构；二是内部管理，主要体现在一些委员会、董事会与校长、教师与学生等方面。

一、印度附属学院的外部治理结构

附属学院的外部治理主要有政府的间接管理、纳附大学的直接管理、第三方机构的评估与认证三个方面。

（一）政府的间接管理

印度政府通过中央政府、邦政府、大学拨款委员会等间接的方式对附属学院进行管理。

在高等教育管理中，中央政府主要负责制订高等教育发展规划，协调和确定高等院校的标准，组织和实施高等教育发展的具体计划，通过财政控制的手段提高教育质量，推动大学和校际之间开展科学研究，进行高等教育有关方面的改革，批准和管理中央直属大学、理工学院和研究机构。中央政府主要通过在高等教育方面的宏观政策和教育立法，间接对附属学院产生影响，并不对其进行直接管理。

在地方一级，各邦政府可以根据《宪法》，制定邦的法令法规，管理邦立大学，协调各邦教育发展以及中央与邦的关系，贯彻中央教育咨询理事会和大学拨款委员会的政策或决定等。各邦对附属学院的管理也是间接的，主要是通过邦立大学对附属学院施加影响。邦政府不仅有权建立大学，而且能影响乃至控制大学的运作。附属学院中大约四分之一是公立的，公立附属学院的管理层是由邦政府和纳附大学协商确定的。

大学拨款委员会在印度高等教育的发展中，发挥了不可忽视的巨大作用。虽然不是中央一级的政府部门，但印度对高等教育的规划、指导与管理主要通过大学拨款委员会执行。印度大学拨款委员会对附属学院的管理主要体现在设定入门标准和批准程序上，这也是中央政府对附属学院实施管理的具体手段。对于附属学院，委员会有专项拨款，但只有通过认证的附属学院才有权获得委员会拨款。大学拨款委员会对附属学院进行资格认定，并设定最低标准，从而实现控制和管理附属学院的目的。如果某一所地方学院的经费、校舍、设备和师资力量等方面达不到大学拨款委员会所设定的最低标准，大学拨款委员会就不会认可其附属资格，那么，这一所地方学院就会因为得不到拨款而生存艰难。事实上，大多数附属学院的教学和管理质量得不到大学拨款委员会的认可，每年都有附属学院因教学达不到要求而被大学拨款委员会停止拨款。

（二）纳附大学的直接管理

印度附属学院在获得大学拨款委员会的认可后，还要接受其纳附大学的领导。纳附大学内部各个管理机构会直接作用和影响附属学院的管理。纳附大学对于附属学院来说权力相当大，其对附属学院的管理主要体现在两个方面：一是准入制度，二是考试和学位授予制度。纳附大学对附属学院进行直接管理的机构主要有：大学委员会、大学学术委员会、大学行政委员会。

1. 大学委员会

大学委员会，亦称大学评议会，是大学的最高权威机构，同时也是一个审议机构。每个大学委员会的成员人数各不相同，多的有300余人，少的也有90人左右，常见的规模为100多人。成员主要为某些附属学院的院长、纳附大学及其附属学院的教师代表、校友代表、大学经费捐款人以及各部门机构代表。大学委员会一般每年召开一次会议，会议通常由纳附大学校长主持。在会上，纳附大学和各附属学院教师及其他相关人士一起讨论大学的政策计划、发展学校的措施、学校的财务情况及年度报告等议题。但由于大学委员会规模过大，成员复杂且多数成员没有学术背景，加之各种政治势力的不良影响，严重制约了大学委员会有效行使权力、履行职责。

2. 大学学术委员会

作为大学的最高学术决策机构，附属学院院长是其重要成员，其他成员还包括副校长、校长及副校长助理、教务长、图书馆长、科学研究部领导、大学及学院教师及一些校外的专家，主席一般由副校长担任。通常大学学术委员会每年召开一次会议，但具体召开频次可根据实际情况调整。大学学术委员会负责大学全部的教育工作，并对大学学术质量、学术研究、学术影响力负责，为提高大学学术地位发挥了重要的作用。同时，也决定着课程、考试、学位等方面的具体事务。

3. 大学行政委员会

大学行政委员会是大学主要的行政机构，也称大学管理委员会。大学行政委员会是一个不超过20人的机构，与大学学术委员会一样，附属学院院长是其必要的成员。为了控制委员会规模，附属学院院长需轮流担任委员会成员，除此之外还有教务长、校长助理、副校长助理及9名由大学委员会选举的成员、上级主管机构的视察员和几名大学校长指定的成员，主席由副校长担任。大学行政委员会会议通常一个月召开一次，如有需要，可随时召开。大学行政委员会主要负责学校日常行政管理工作，学校组织章程和条例的制定、修改或废除，但这些组织章程和条例需经过上级主管机构或大学校长的正式批准后才可实施。

除以上委员会之外，还有其他机构影响着附属学院的管理。如教师聘任委员会负责监督指导附属学院的教师聘任，大学考试委员会负责附属学院的考试事务，招生委员会负责附属学院的招生工作等。需要指出的是，这些管理机构做出的每项决定都须通过大学行政委员会的批准。

（三）第三方机构的评估认证

附属学院的管理机构还有第三方机构，主要是印度国家评估与认证委员会，总部位于班加罗尔。早在1986年《国家教育政策》及其行动计划就提出要建立一个全国性的高等教育质量保障组织，以保障和提升高等院校的教育质量。于是，在中央层面，大学拨款委员会于1994年成立了国家评估与认证委员会。国家评估与认证委员会是一个自治机构，专门负责定期对印度的大学和学院进行质量评估与认证。它独立于政府，自主制定评估标准、开展评估活动、发布评估结果，运行经费来自于大学拨款委员会。在地方层面，近几年来印度各邦正在国家评估与认证委员会和中央政府的帮助支持下，积极建立和完善邦级质量保障协调委员会和邦级评估机构。目前，印度已有26个邦建立了评估机构。

二、印度附属学院的内部治理结构

由于附属学院是依附于纳附大学而设立的，一所纳附大学可以有几十到几百个附属学院。纳附大学对其附属学院的各项标准进行了严格设定，这使得附属学院的自治能力受到限制，但是在附属学院内部，仍然存在相应的治理部门。

1. 学院管理委员会

在附属学院内部，一般都有一个学院管理委员会，负责对学院进行整体规划，包括对一些重要事务进行决策，指导日常事务。学院管理委员会是附属学院内部的最高行政管理机构。管理委员会同时具有以下附加功能：管控学院的学术以及其他相关活动；为教工选举委员会提供建议；对纳附大学和政府下发的政策制定落实细责并负责与纳附大学和政府保持联系；审核学生和教师发展计划；审核并通过学院的年度预算。学院管理委员会一般由投资人或各大投资机构委派代表组成，也有专家学者参与，以保证委员会决策的科学性。例如德里大学的附属学院卡马拉·尼赫鲁学院管理委员会由15人组成，包括主席、财务总监、德里大学的2名代表、8名普通成员、2名附属学院教师代表、秘书（附属学院办公室主任）。[①]

2. 规划与监控部

附属学院内部学术方面的管理由规划与监控部负责，其职能主要是：评估学院的学术相关活动；评估学生和教师发展计划；制订学校发展计划并推动愿景规划的制订；制定学院发展新方案；促进校园内的科学研究和相关活

① Governing Body.［EB/OL］.［2018-07-31］. http://www. knc. edu. in/governingbody. php.

动；促进教学创新和学生就业；制订计划提高教学质量，提升学院教学合格率；促进学院学术部门参与所在社区的发展活动；开展能够促进学术发展的其他活动。

3. 附属学院院长

附属学院的最高行政长官是院长。院长既是学院的行政首脑，又是学院学术事务的关键人物。院长在学院的日常管理中起决定性的作用。其职责非常广泛，他必须维持不同利益群体之间的平衡，还必须使学院管理部门与纳附大学、邦政府和大学拨款委员会之间建立良好的关系。因此，院长的任务比较艰巨，院长能力的大小和管理的效果直接影响该学院的发展状况甚至生存命运。公立附属学院一般是由邦政府创建并提供全部经费，其院长首先由管理委员会推荐，然后由政府教育部门任命。院长接受任命后，再负责招聘该学院的教师和其他职员。私立附属学院一般由慈善机构、私人企业等创办并提供部分经费，院长、教师和其他职员都由资助方直接任命。

4. 教师、学生参与治理

附属学院的教师相对于公立大学来说，主要承担教学任务，很少承担科研任务，也没有太多学术方面的要求。但是教师在各个治理部门中都会有一定的代表席位，可以在一定程度上为自己的合法权利辩护，保护自己的权益不受侵害。在一些规模较大的附属学院，教师还会成立教职工福利委员会等教师组织，参与到学院的管理当中。

学生在学院治理部门中也会有少量的席位，大学拨款委员会也为大学生参与学院管理制定许多措施，比如，在每个学院或系建立学生咨询委员会，允许学生就课程结构、教学大纲、考试方法等问题发表意见；学生有权要求学校提供基本的物质条件，包括住校生的宿舍、走读生的休息室、图书馆的座位、教科书的质量等，也有权要求合理地降低学费、提高奖学金额度、保证健康的饮食、提供必要的运动场所和运动器材等。有些学院还成立了学生联合会，参与讨论和管理学院事务。

第三节　印度附属学院治理的特点

印度附属制度是极具特色的高等教育制度，作为印度高等教育独特的一部分，印度附属学院别具一格，推动了印度教育治理的发展。

印度附属学院在治理模式上呈现以下特征：管理机构多元化，分工明确，行政民主；受到纳附大学严格控制，自主权力有限；管理为教学服务，教学为考试服务。

一、管理机构多元化，协作治理

印度附属学院的管理涉及的机构很多，呈现多元化的特点。政府侧重制定法律法规，进行宏观调控，不直接干预附属学院的具体事务。纳附大学负有对附属学院直接管理的责任，对学术和教学进行宏观监控。附属学院承担自我管理的责任，负责学院发展的具体事宜。国家评估与认证委员会负责外部的质量保障，通过对附属学院的认证来规范附属学院的有序发展。

从中央政府的大学拨款委员会到邦政府的教育管理部门，从大学委员会到院委员会，从大学行政委员会到大学学术委员会，各个机构都分工明确，各司其职，相互补充。每一个机构的设置都有其自身明确的职责范围，机构成员的组成也兼顾各方面的利益，特别是有些重要的职位采取轮流担任的制度，可以最大限度地实现管理的民主和权力的平衡。各个机构都为日常工作制定了相关的规章制度，从而使管理制度化，加强了行政的民主化程度。

就分工而言，学术和行政划分明确，大学学术委员会主要是对各个附属学院的学术水平进行监督和指导，帮助各学院提高自身的学术水准；大学行政委员会则在行政事务方面负主要责任，制定和修改各种章程条例，以保证大学的教学、科研等各项工作顺利开展。各管理机构相互补充，相互协调，共同构成一个合理有序的治理结构。

二、控制严格，自主权力非常有限

印度附属学院由于仅仅是依附于某所大学的一个教学点，学院自己没有太大的自主权，在很大程度上受其附纳大学的限制。纳附大学依靠其掌控的学位颁发权，对其附属学院的课程设置、教学大纲、教学内容等方面严格控制，附属学院只能根据纳附大学的政策执行相关规定。另外，附属学院也没有组织考试的权力，其学生必须参加纳附大学组织的统一考试，成绩合格获得该门学科的学分，才可能最终获得大学颁发的学位。在经费管理和使用方面，附属学院虽然有权力管理和使用自有资金，但也必须按照纳附大学的相关规定来进行。在教师和其他教职工的聘用方面也要符合纳附大学的相关规定，要满足纳附大学的最低教学要求，以保证学院良好的教学水平和学术水平。总之，附属学院在教学、管理、财政、人事等各个方面都受到其纳附大学的严格控制，拥有的自主权力非常有限。

三、管理为教学服务，教学为考试服务

印度附属学院的一切工作都是为了使学生能够通过纳附大学组织的外部考试，管理也是如此。因为附属学院的生存和发展与其学生考试的通过率是密切相关的，学生考试通过率高就能使学院的名气更大，获得更多更好的生源；否则，这所学院就很难生存下去，就会在竞争中被淘汰。学院管理工作的一个重要目标就是更好地教学，以取得更高的考试通过率。在印度附属学院中甚至出现学院为了提高本院学生的考试通过率而在纳附大学组织的外部考试中用高音喇叭向本院的考生广播试题答案的现象，至于考场集体作弊的现象更是屡见不鲜，这些行为都依赖学院管理部门的“密切配合”。

印度高等教育附属制度在实现教育机会均等和促进印度高等教育大众化进程中发挥了巨大作用。印度独立后，高等教育飞速发展，尤其是在20世纪六七十年代，其速度之快，规模之大，在世界范围内也极为罕见。到20世纪末，各大学所属的附属学院共有17 625所。这些附属学院容纳了全印度90%的高校在校生，满足了民众接受高等教育的需求，使印度成为世界高等教育大国。如果没有众多的附属学院，单凭300多所大学吸收如此众多的学生是不可想象的。

目前，印度附属学院也面临着数量众多、每个学院规模不大、整体质量不高等问题，附属学院的治理模式也在进一步探索中。2009年颁布的《大学拨款委员会2009年（关于大学附属学院）条例》就规定，附属学院要获得附

属资格需要遵循更为严格的规定：新的学院在被某所大学接纳为附属学院之前必须建立一定时间的临时附属关系，这种临时附属的期限至少为5年，被大学接纳后的附属学院才有资格从大学拨款委员会获得经费支持。

2013年，印度人力资源开发部开始实施“高等教育使命”计划，力图缓解纳附大学附属学院过多的状况。2017年数据显示，印度268个纳附大学对应的有39 071所附属学院。在这268所大学中，17所大学拥有500所或者更多的附属学院。“高等教育使命”计划最新的报告指出大学附属学院的不合理增多导致了高等教育质量的严重下降。附属学院如此之多，纳附大学就必须将大学资源和体系投入于加强管理和举办考试之中，从而削弱了对学术质量和科研水平的关注。同时，附属学院在教学和研究方面几乎没有任何积极主动性。

因此，印度附属学院的改革主要由人力资源开发部、大学拨款委员会这些外部机构在主推，附属学院自身积极性并不高，附属学院改革的任务任重道远。

第六章　印度职业教育的多元治理

作为世界第二大发展中国家，印度近年来的发展成就令人瞩目：一方面，其经济水平和国际竞争力飞速发展，经济增长潜力巨大。据相关数据统计，“十五”计划（2002—2007）期间，印度年经济增长率达到7.7%；“十一五”计划（2007—2012）期间，每年的增长率为7.9%①；“十二五”计划（2012—2017）期间，印度经济仍维持着较高的增长率。另一方面，印度的经济与产业结构也独具特色，它巧妙地避开了第一产业与第二产业占主导地位的阶段，借助市场经济的东风，大力发展服务业及外包行业，并以此实现“弯道超车”。“印度模式”已引起了许多国家，尤其是发展中国家的密切关注。但无论是经济的快速增长还是产业结构的“独树一帜”，都以技术人才的供求平衡为基本出发点。职业教育作为人才培养的主渠道，为职业技术人才的培养与储备贡献了巨大的力量。而职业教育的运行效率影响着技术人才的培养标准与培养质量。这一切都与国家对职业教育的治理息息相关，印度职业教育的外部治理与内部运行双管齐下，共同影响着印度经济发展的程度与水平。

第一节　印度职业教育由管理向治理的发展

就职业教育体系的发展而言，治理的实质其实是政府职能意识的觉醒、深化与转变：一方面，政府对自身责任的明晰程度孕育了治理的理念，并促使其不断发展与成熟；另一方面，治理理念及实践的不断深化也彰显了政府

① Mehrotra S. From 5 Million to 20 Million a Year: The Challenge of Scale，Quality and Relevance in India’s TVET[J]. Prospect，2014（2）：267-277.

职能的发展与转变过程，治理与政府的相关理念息息相关，就治理与管理的关系而言，二者一脉相承，治理是管理所追求的更高一级的目标，而管理是走向治理的必由之路，也是不可逾越的重要阶段。对印度这一发展中国家而言，由于其政治与经济体制的独特性，在职业教育的治理过程中，也呈现出了独具特色的一面：分权与集权并行，自由与管制并存。具体而言，印度职业教育由管理向治理发展主要经历了以下几个阶段："无政府型"阶段、"政府型"阶段、"市场型"阶段以及"复合型"阶段，各阶段都有其独特的关注焦点，并在手段与方式上存在一定的差异。

一、"无政府型"阶段[①]"放任政策"（1857—1947）

殖民地时期，印度社会生活的方方面面，包括教育领域，深受英国的影响，移植与模仿的痕迹较重。就教育领域而言，英国奉行"放任主义"的原则与政策，使教育，尤其是基础教育自生自灭，纵观19世纪，英国教育最大的特点就是"自由主义"：放任教育自由发展。对于英印殖民地而言，一方面，印度人民的民族主义与民族意识不断觉醒，开展了一系列的反殖民主义斗争；另一方面，为了更好地推行殖民统治，英国希望"以印治印"：通过培养一批具有较高文化素养的印度人在政府部门任职，减少殖民统治的阻力。在上述社会背景下，英国在继续推行"放任政策"的同时，也根据印度具体的国情作了部分调整：一方面，为了保证殖民统治的稳定性与持续性，英印政府开始注重高等教育的建设与发展，但主要以文科性质的高校为主；另一方面，对理工及技术类的高校继续采取放任政策。

就这一时期的职业教育发展而言，基本上处于停滞状态。一方面，殖民政府过于关注高等教育的发展，无暇顾及处于尴尬地位的职业教育；另一方面，就印度国情而言，虽然印度历史上也有职业教育的传统，但多以非正式的形式存在，且多集中于手工行业，在大机器生产的时代，这种"古老"的

---

① 此处的"无政府型"阶段，与"无政府"状态有本质差异："无政府型"并非指政府完全不参与职业教育的管理，而是指相对于其他教育而言，政府持放任态度，而且在职业教育的不同阶段，这种态度也存在一定程度上的差异性。

职业教育模式难以适应社会经济的发展，甚至会对新的职业教育模式的形成与发展产生一定的阻力。这种教育上的“无政府型”状态阻碍了印度职业教育的发展与完善。

但事实上，这种“无政府型”状态和“放任政策”也具有一定的矛盾性，表现为思想与行动上的不一致。对许多有识之士而言，他们较早地意识到职业教育的重要性，并认为其应该在教育大系统中占据一席之地。早在1854年，《伍德教育急件》就提到过“职业教育”的概念，但真正就职业教育提出建议的是1882年成立的印度教育委员会（亨特委员会），该委员会建议中等教育的课程应分为两部分：一种课程为学术性的，为学生参加大学入学考试做准备；另一种课程应该是职业性的，具有较强的实用意义，为学生在中学毕业后进入工商界做好准备。1929年成立的哈多格委员会在谈及印度中等教育时也指出：“整个中等教育制度仍然被这样一种思想所垄断，即每一个进入中学的男孩都应为进入大学做准备。”因此它建议设置多样化的课程，以便更多的男孩在中学毕业后能进入工商领域。[①]通过委员会的相关报告，英印政府在某种程度上也意识到了职业教育的功能与潜在价值，但具体到实施层面，英印政府出于其殖民政策与统治考虑，并未对职业教育投入足够的资源与精力，从某种程度上而言，思想与行动上的脱节是殖民地时期印度职业教育发展滞后的一个重要原因，并为印度后来职业教育的发展瓶颈埋下了伏笔。

二、“政府型”管理阶段“集权与分权”（1947—1964）

此阶段是尼赫鲁执政时期，也是印度经济恢复与重建时期，这种恢复与重建，一方面，表现为对以农业生产为代表的与国家安全密切相关的产业的恢复与发展，以便在最大程度上解决经济发展困难，保证国家平稳过渡与运行；另一方面，随着国家经济的恢复与发展，如何构建国营经济体系，并完善以制造业为主的重工业也逐渐被提上议事日程，并作为印度“二五”计划

① 赵中建．印度中等职业技术教育发展缓慢及其原因[J]．职业教育研究，1990（5）：47-51.

（1956—1961）和“三五”计划（1961—1966）的重中之重。与此同时，重工业体系的建立与完善对技术人员的需求也越来越旺盛，促使印度政府对职业技术教育越来越重视，并加大对其的物质、资源投入，以促使其更好发展。

就印度职业教育“政府型”管理阶段的特征而言，主要表现为以下几个方面：第一，针对职业教育的相关建议不断增多，且具有针对性；第二，政府对以高等工程技术教育为代表的职业教育的资源投入不断增多；第三，与职业技术教育密切相关的管理机构不断趋于完善。这些特征既包括思想层面，也包括实践层面，甚至涵盖组织层面，思想、行动与组织层面三者合一，共同促进印度职业教育的健康稳定发展。

就职业教育的相关建议，主要蕴含在相关委员会的报告中，并不断发展与完善。1952年，印度政府设立了专门研究中等教育问题的中等教育委员会，该委员会的报告认为以往的中等教育过于学术性和理论化，对国家的经济发展作用有限，因此必须对这种情况进行改革，在所有学校中实行多样化的课程，使大量学生可以学习农业、技术、商业或其他实用性的课程，通过这些课程培养各自的天性，使他们中学毕业后能直接就业或进入技术学院进行更进一步的学习。[①]1964年成立的科塔里委员会是印度历史上重要的教育委员会之一，其于1966年提交的《教育与国家发展》在印度教育发展史上具有里程碑意义，对职业教育的发展也具有至关重要的指导意义，其所提出的“中等教育职业化”概念，一直影响至今。

就职业教育资源投入而言，该阶段重点对以印度理工学院为代表的高等工程技术教育进行投入，也间接地促进了印度职业教育的发展。据相关数据统计，从独立起至20世纪60年代末，印度技术教育委员会几乎每年召开一次会议，以后是数年召开一次，会议专门讨论职业技术教育的状况和要求。

就教育经费的分配而言，职业技术教育不仅单列一项，而且所占比例一直比较高，在“二五”计划和“三五”计划中尤其如此。例如，在第一

① 贺国庆，朱文富．外国职业教育通史（下卷）[M]．北京：人民教育出版社，2014：250-251.

至第六个五年规划中，职业技术教育经费占教育总经费的比例分别为13%、18%、21%、15.2%、12.1%、11%。[①]职业技术教育经费的上升趋势，尤其是“二五”计划和“三五”计划期间的经费投入，充分体现了印度政府对职业教育的重视，也是职业教育“政府型”治理模式的典型特征之一。

就与职业教育发展相关的管理机构而言，相关机构也不断健全和完善。如成立于1958年的印度学校证书考试委员会是印度职业教育管理体系的一部分。该委员会主要负责三种考试：印度中等教育证书考试、印度学校证书考试以及职业教育证书考试。该委员会的成立为印度职业教育证书的规范化与有序化做出了重要贡献。

三、“市场型”管理阶段“多元管理”（1964—1984）

在这一阶段，印度职业教育治理中政府的作用在逐渐减弱，而市场的作用日益凸显。这种凸显主要基于两大因素：一是国内因素。就印度国内而言，传统的“政府包办一切”的中央集权式的管理体系非但难以适应新时期印度经济社会发展的需求，而且还产生了一系列不良后果：由于政府管得过死，导致经济领域缺乏活力，尤其是国营企业的优越感使其效率低下，盈利能力日益衰退，但新兴的私营企业难以获得生存空间，无法与国营企业进行公平合理的竞争。一般而言，中央集权式的管理模式有利于“集中力量干大事”，可以更快地促进社会的发展，改善人们的生活，但在印度，这一说法似难以成立，一方面，此时的中央集权式的管理模式已呈疲软之势，缺乏整合各方力量的勇气与魄力，反而造成各方机构臃肿，资源浪费；另一方面，就人们生活质量而言，与独立初期相比，人们的满意度似有下降趋势，尤其是后来发生的各种危机更加剧了这种趋势。二是国际因素。就国际趋势而言，随着新自由主义的发展与盛行，市场的作用受到越来越多的重视，并格外注重竞争环境的创设与发展。在这种思潮的影响下，大多数国家都注重利用市场的作用，以市场促进政府职能的转变，进而促进整个社会经济的发展。作为有着社会主义特征的资本主义国家，印度也必须注重市场的作用，

① 赵中建．战后印度教育研究[M]．南昌：江西教育出版社，1992：120.

合理转变政府的角色和作用。此外，在这一阶段，中央集权式的管理模式不仅与印度“建设有声有色的大国梦想”背道而驰，反而成为其实现梦想的障碍。

在上述因素的影响下，印度政府开始着重考虑市场的作用，积极吸收私人资本，并为私人企业的建立创设宽松的社会环境。在职业教育领域，这种“市场型”管理模式的重要表现就是引入私立教育机构，并对各种竞争行为进行监督与管理，其中，高等职业教育领域的市场化特征尤为明显。

首先，一个重要的表现是自筹经费学院的建立与发展。所谓自筹经费学院，是相对于受助私立学院而言的，指独立于受助私立学院之外的，不受或几乎很少受政府资助的学院。其办学经费来源多样化，但主要来自于学生所缴纳的学费。自筹经费学院的发展与国际高等教育发展趋势以及印度经济市场化、私营化的总体趋势一致。

其次，高等职业教育的“市场化”管理模式使经费来源多样化，在某种程度上缓解了政府所面临的财政压力。自20世纪70年代以来，受国内各种因素的综合影响，印度政府面临着巨大的财政危机，教育经费拨款也呈逐年下降的趋势。由于以工程技术教育为代表的高等职业教育需要投入巨大的物质资源支持，高等职业教育受教育经费减少的影响更为明显。但高等职业教育的“市场化”可以缓解这种负面影响，一方面，由市场化引入的私人资本进入教育领域，可以弥补教育经费不足所带来的窘境，在资源供给上满足职业教育的基本需求，私人资本的进入活跃了高等职业教育领域，且促使各高等教育机构更加重视教育质量的提升与改善；另一方面，市场化还带来了竞争机制，从而使质量监管机制不断发展与完善。竞争机制的引入实质上是参与主体多样化的体现，这种参与主体多样化带来的后果是利益诉求的多样化，这种多样化需要在诸多利益相关者之间找到一种最佳均衡点，寻求利益相关者之间的最大公约数，而这一切都要求教育质量的根本提高与改善。

最后，高等职业教育“市场化”管理模式加速了印度高等教育大众化的进程，缩短了实现周期。自马丁·特罗于20世纪70年代初提出“高等教育大众化”概念以来，围绕高等教育大众化开展的理论与实践层出不穷，各国也以高等教育大众化的实现程度作为检验其高等教育发展的重要指标。就印度而言，在其高等教育体系中，高等职业教育占据重要地位，而在高等职业教育中，私立高等教育机构又占有绝对优势。换言之，印度私立高等教育机构撑起了印度高等教育大众化的半壁江山。

印度私立高等职业教育机构对职业教育系统的重要意义主要体现为两点：第一，高等职业教育“市场化”的管理模式使高等教育成分更加多样化，公、私立高等教育机构呈现此消彼长的趋势，但自20世纪80年代以来，随着政府财政经费的紧缺，私立高等教育的主动性越来越强；第二，高等职业教育“市场化”的管理模式使学生的选择更加多样化，传统公立教育机构因收费低、教育质量高而受到学生及家长的欢迎，而且，由于教育机构的单一性使公立教育机构成为学生“不得已而为之”的选择，但随着市场化意识的渗透及人们生活水平的提高，自由选择已成为人们追求的目标，而此时“市场化”的管理模式为人们实现自由选择提供了途径。

四、“复合型”治理阶段——“综合治理”（1984 年以后）

对于印度而言，“复合型”治理模式是其职业教育治理的典型特色。所谓复合型，一方面，整合了“政府型”“市场型”等管理模式，是二者的优化组合，从而使政府宏观调控与市场资源配置相得益彰，共同促进职业教育的大发展；另一方面，是政府、社会及高校三者在高等教育方面权力的重新分配，这种分配摆脱了以往“管理主义”的倾向，针对不同办学主体，采取不同的分配模式，最终形成了公立、私立高校都采用的“学者自治”型、公立高校所采用的“政府主导”型、私立高校选择的“市场导向”型三者结合的复合型治理模式。[①]这种复合型治理模式可以说是“综合治理”。

这种复合型治理模式的形成与发展，实质上是政府职能逐渐转变并不断深化的结果，最终目的就是促进政府由监管型向服务型转变，以促进治理体系的不断精简与完善。就教育机构而言，无论是何种层次的教育机构，自治都是其追求的重要目标之一，也是促使其不断发展与完善的内在动力。印

① 赵学瑶，宋改敏．文化视域下印度高等教育复合治理模式探究[J]．现代教育管理，2015（2）：52-56.

度政府深深意识到这一点，自现代高等教育体系建立以来，便自始至终贯彻“学术自治”的管理模式，该模式强调学科或专业领域内的学术自治与自由。学术自治的核心问题是高校事务内部自治应该实现行政管理与学术决策相分离，即在高校内部自治中，高校日常行政事务交由以校长为代表的校务委员会来处理，而学术事务则由学者、教授民主选举出来的学术委员会负责。学术自由指高校师生有权独立思考和科学研究、有权追求真理和事实。学术自由的典型特征是鼓励师生自由表达观点和思想、自由决定学习和研究的课题、自由探讨相关学术科研问题和社会热点问题，鼓励教授自由开展各类学术交流活动，倡导批判性思维，追求学术道德。

在复合型治理模式中，“政府主导”型治理模式主要存在于公立高校中，在这类高校中，政府主导主要体现为制定教育法律法规和政策，提供教育经费，组建各级各类管理机构来实现政府宏观管理的职能。这一时期的“政府主导”，虽说政府治理仍占很大的分量，但与传统的“中央集权”已有很大的区别，除了教育政策的制定、教育经费的划拨等职能外，政府的监管更多是形式上的，政府主要扮演着服务者的角色，高校内部的决策仍由高校自行确定。

在私立教育机构中，政府主导已趋于次要地位，取而代之的是“市场导向”的治理体系，这与私立教育机构的营利性质不谋而合。“市场导向”的治理模式保证了私立教育机构的竞争性，这是保持其活力的重要法宝，也是促进印度教育质量整体提升的重要途径。在某种程度上，市场的竞争机制一方面可以保持私立机构的竞争活力，另一方面也可以唤醒公立教育机构的竞争潜力，打破公立教育机构“一潭死水”的固化局面，促进其自身的不断发展与完善。

第二节　印度职业教育治理的结构

在以历史的视角分析了印度职业教育治理模式的演变之后，本节主要介绍其现行的治理结构。就印度而言，其职业教育具有一定程度的复杂性，表现为职业教育体系的复杂性、治理机构的多样性以及参与主体的多样性，而且在公立职业教育机构与私立职业教育机构中，其治理结构也不甚相同。印度学校系统内的职业教育体系与学校系统外的职业教育体系共同组成了职业教育的整体结构，印度职业教育的体系及结构如图6-1所示。

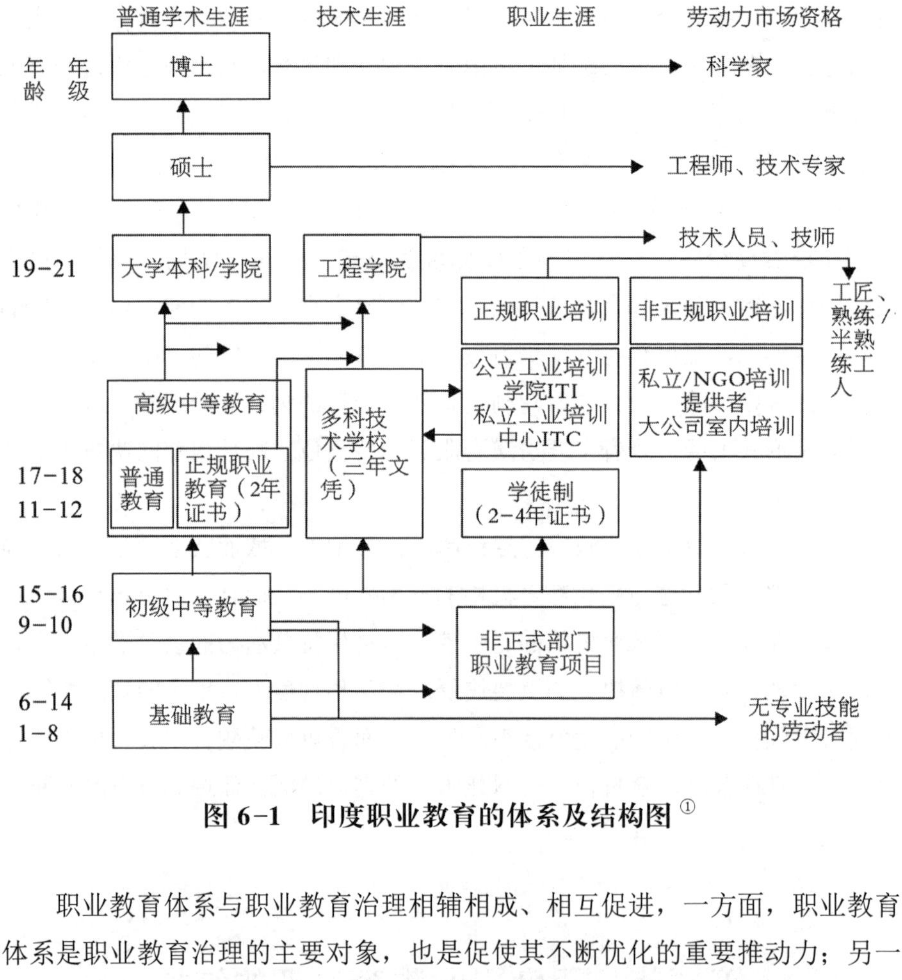

图 6-1　印度职业教育的体系及结构图[①]

职业教育体系与职业教育治理相辅相成、相互促进，一方面，职业教育体系是职业教育治理的主要对象，也是促使其不断优化的重要推动力；另一方面，职业教育治理的目的是促进职业教育体系不断的发展与完善，在此基

① 韩静，张力跃．经济强劲背后的冷思考——印度职业教育发展困境及其政府改革措施[J]．职业技术教育，2016（9）：68-73.

础上提升职业教育的水平与质量。在国际国内双重因素的综合作用下，印度的职业教育治理结构也在发展与变化，不断促进职业教育治理效果的优化。这种变化主要表现在两个方面：第一，以中央政府和邦政府为代表的外部治理体系的不断调整，其本质是政府与市场关系的不断优化发展；第二，以职业教育机构为代表的内部治理体系的不断优化与重组，以保持源源不断的发展动力与活力。鉴于此，本部分也将从外部治理结构和内部治理结构两方面来阐述印度职业教育治理的结构。

一、印度职业教育治理的外部结构

所谓职业教育治理的外部结构，主要指教育机构之外的治理结构。具体而言，印度职业教育治理的外部结构主要包括政策层面、实施层面与保障层面三个方面。

（一）印度职业教育治理的政策层面

印度职业教育治理的政策可分为两大类型：一类是以法律形式呈现的政策产品，如《宪法》及相关教育法规等；另一类则是以非法律形式呈现的政策产品，如政府及其所属委员会颁布的规划报告或建议等。两种形态的政策相互作用，共同促进印度职业教育治理更好更快地发展。

1. 法律形态的职业教育治理

就法律形式呈现的政策产品而言，最为根本、最为重要的当属《宪法》的相关规定。《宪法》首先对职业教育的治理结构进行了规定，在《联邦条目》（《条目Ⅰ》）第65项规定，中央政府有对以专业、职业和技术培训为目的而开办的联邦机构和院校进行管理的权利。这一条实际上明确了联邦政府对职业教育治理的权利与义务；而在《邦条目》（《条目Ⅱ》）中，又将与专业、职业和技术培训有关的机构和院校的管理权赋予邦政府；此外，在《并行条目》（《条目Ⅲ》）中，又将职业与技术教育的立法权同时赋予中央政府和邦政府。[①]这种法律规定，一方面表明了在印度独立初期，联邦政

① 科奇哈．印度的宪法与教育[C]．王蜂，译．赵中建，校 // 瞿葆奎．教育学文集第 24 卷：印度、埃及、巴西教育改革[M]．北京：人民教育出版社，1991：177-193.

府和邦政府对职业教育的重视，并希望通过政策上的优势促进职业教育的发展，以更好地满足国家经济建设和社会发展的需求；但另一方面，这种关于职业教育治理中模糊不清的法律规定也为职业教育的治理带来了一定的问题与矛盾，这种关于职业教育管理权的争夺不但不能促进职业教育的发展，反而为职业教育的发展增添了诸多障碍。

2. 非法律形态的职业教育治理

就非法律形态呈现的政策产品而言，以相关教育委员会的报告和建议最为突出，也最具有价值。1936年成立的阿博特－伍德委员会是主要针对职业教育而成立的委员会，其所提出的报告对印度职业教育体系的建立起到了至关重要的基础性作用。报告内容主要包括：第一，根据工农业需求发展职业教育，开办何种类型或形式的职业教育应建立在对工业、贸易和商业的周密调查的基础之上；第二，要同时设立普通教育和职业教育的机构，以满足学生在中等教育层次的不同需求；第三，加强职业教育咨询机构的建立，成立职业教育顾问委员会，同时要加强工商业与教育系统的合作；第四，丰富职业教育体系，在8年级之上创办三年制初级职业学校和两年制高级职业学校（如职业培训学校、综合技术学校以及工艺和手艺学校）；第五，加强对学生的职业指导，政府要经常公开有关职业教育的信息；第六，对在职业技术学校完成学业的学生颁发毕业证书等。该报告改变了印度人对职业教育的认识，并促进了印度职业教育体系的建立与发展。

中等教育委员会于1952年成立，主要围绕中等教育实施过程中的问题进行调查、研究并提出相应的建议。该委员会认为，印度现阶段的中等教育是机械的、单一的教育，是一种僵化的教育，难以培养学生的职业能力与就业能力。针对中等教育的现状，委员会提出了如下建议：第一，注重法律手段的运用，强调通过立法促进职业教育的发展；第二，在高中阶段（11—12年级）开展职业教育，实施多样化的职业教育课程，既可以成立单科技术学校，也可以成立多科技术学校，以此促进职业教育的发展，印度技术教育委员会对职业教育的发展负有规划和指导责任；第三，注重职业或技术学院与工厂的合作，使理论与实践在最大程度上尽可能统一；第四，重视学徒制培训，使其成为职业培训的重要组成部分。中等教育委员会的建议促进了职业教育学院数量和规模的增长，但由于资金和设备的缺乏，教学质量有待进一步提升。

在印度教育发展史上，科塔里委员会及其报告是一个重要转折点。就职业教育而言，该委员会提出的重要概念是“中等教育职业化”，它认为推行中等教育职业化能使青年掌握一定的专门知识和熟练技能，有利于其就业能力与专业技能的提升。具体而言，其建议主要包括以下几点：第一，建议在全国推行“10+2+3”的学制，高中阶段的课程应该丰富和多样化，并在这一阶段实施分流；第二，职业教育的性质是终结性的，应该为各行各业培养所需要的技术技能人才；第三，课程设置与计划应该与产业需求相一致，使职业教育在结构上协调一致；第四，鼓励因地制宜，根据当地需求设置职业教育的相关专业，在课程设置上也要尽可能考虑地方需求。“中等教育职业化”概念的提出，一方面提升了职业教育在中等教育层次的地位与作用，使人们尤其是相关部门领导人意识到职业教育对于国家建设的意义与价值；另一方面，这一概念也成为指导印度后来职业教育发展与完善的重要理念。

（二）印度职业教育治理的实施层面

在此，首先要区分印度职业教育的实施与职业教育治理的实施这两个概念，所谓职业教育的实施，可理解为实施职业教育的机构与体系，也就是前面所述的印度职业教育的体系及结构；而职业教育治理的实施则依靠参与职业教育治理的各利益相关者，既包括中央政府和邦政府层面的各种治理机构，也包括相关的职能部门，还包括职业教育实施机构自身等诸多参与者。

1. 中央层面的实施机构

在中央层面，与职业教育治理密切相关的机构相对比较复杂，着力点也有所不同，但就总体而言，印度技术教育委员会在职业技术教育的发展与实施过程中扮演着不可或缺的角色，也是职业技术教育治理的主要负责机构。

印度技术教育委员会隶属于印度人力资源开发部下面的技术教育局，充当着职业教育与中央政府的协调者、中间者角色。该委员会成立于1945年，最早作为中央政府教育部的咨询机构建立，旨在对国家技术教育设备与资源进行调查，促进职业技术教育体系以综合性和协调性的方式发展。对于印度技术教育委员会的构成与职责，1987年的《印度技术教育委员会法》有明确的规定。

印度技术教育委员会成员包括由印度中央政府任命的主席、副主席各1名，代表中央政府的秘书1名，教育顾问数名，地方委员会主席4名，印度职业教育委员会主席，印度技术教育委员会主席，印度工程学与技术学本科生教育委员会主席，印度工程学与技术学研究生教育与研究委员会主席，印度管理学委员会主席，由中央政府任命的代表财务部与内政部的委员1名，由中央政府任命的代表科学技术部的委员1名，由中央政府任命代表中央内务与发展部的委员4名，来自议会的委员2名，由中央政府任命代表邦政府及联盟领土的委员8名，由中央政府任命的代表工商界的委员4名，由中央政府任命分别代表中央教育咨询委员会7名、印度大学联合会、印度技术教育联合会和印度建筑教育联合会等部门的委员。①

就印度技术教育委员会的职责而言，《印度技术教育委员会法》规定，印度技术教育委员会应该对印度职业技术教育进行不同层次的研究和训练，对印度职业技术教育的数量和规模进行合理规划，并为技术教育系统制定各项学术标准，以保证职业技术教育的质量；此外，印度技术教育委员会有权颁布技术教育领域中文凭证书和学位的授予标准，制定硕士学位课程和博士学位课程的设置标准。总之，印度技术教育委员会一方面要通过诸多措施保证职业技术教育的良好运行与优化发展，另一方面也要通过相关标准的制定与完善促进职业技术教育质量的不断提升。

全国教育研究和培训委员会也是职业教育治理的重要参与机构，对于职业教育的发展与治理起着重要的作用。该委员会主要负责学校系统中的职业教育，主要为职业教育系统中教师教育质量的提升提供相应的建议。

此外，印度劳动和就业部也积极参与职业教育的治理，这种参与主要体现在两个方面：一方面，许多职业教育培训是由劳动和就业部及其附属机构提供的，如与劳动和就业有关的职业培训等，以保证职业教育培训覆盖面的全面性与广泛性；另一方面，劳动和就业部所属的就业和培训总局为学校系统外的职业教育与培训保驾护航。中央层面的职业教育治理结构

---

① 刘筱．印度工程技术教育发展研究［M］．北京：中国社会科学出版社，2016：106.

如图6-2所示。[①]

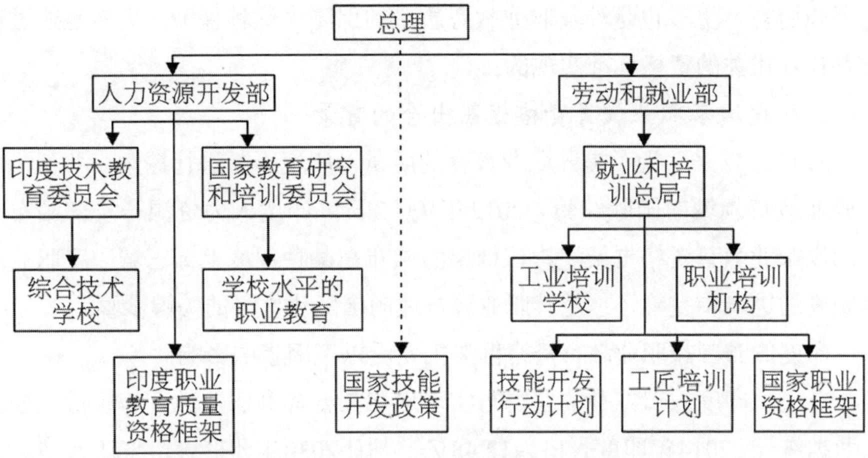

图 6-2　中央层面的职业教育治理结构框架图

2. 邦层面的实施机构

邦层面对职业教育的治理，主要通过印度技术教育委员会的下属机构技术教育督导实现。此外，为了更好地推进职业教育的发展，各邦专门成立了邦技术教育局，具体负责本邦职业教育的相关事宜，并针对本邦具体情况制订职业教育的发展规划。对于邦技术教育督导而言，一方面，它要在印度技术教育委员会的领导下，协调推进各邦的职业教育，并为各种职业教育专业制定课程大纲，组织相关的考试；另一方面，作为技术教育局的领导机构，邦技术教育督导有义务监督技术教育局的相关工作，并就相关问题提出建议和改正措施。

（三）印度职业教育治理的保障层面

印度对职业教育进行治理不外乎两个目的：一是促进政府治理体系与治理能力的与时俱进，最终促进政府职能由监管型向服务型转变并不断深化；

① 刘欣 . 印度职业技术教育和培训政策研究[D]. 上海：上海师范大学，2013：30.

二是通过治理体系的调整与优化促进职业教育水平与质量的提升。但无论何种目的，归于一点就是要促进教育质量的提升。因此，就印度职业教育治理的保障而言，更多也是涉及职业教育质量的保障，这种保障，更多是通过制定并执行相关的资格标准实现的。

1. 印度国家职业教育资格框架出台的背景

21世纪以来，为了提升职业教育的质量，印度不断进行探索，并积极借鉴职业教育领域的国际经验。2012年9月3日，印度人力资源开发部颁布了“国家职业教育资格框架”，该框架的颁布在某种程度上标志着印度职业教育制度的进一步完善，也是其职业教育迈向国际化水平的关键步骤。

印度颁布国家职业教育资格框架主要受以下因素的影响：

首先，印度人口红利的获得与实现迫切需要提高职业教育的质量。据相关数据统计，2014年印度人口为12.48亿，预计2030年印度人口将达到15亿，平均年龄为32岁，比世界上许多国家的人口平均年龄低10岁。届时印度将成为全球提供劳动力最多的国家，劳动年龄人口将超过9.5亿。[①]面对如此巨大的人口红利，只有提升职业教育的质量与水平，将巨大的人口数量转化为有效的人力资源，才能使人口红利发挥其应有价值。

其次，印度职业教育发展过程中存在许多突出的问题。最为明显的是学生理论与实践相脱离的问题，这导致学生操作技能方面的缺失，而这恰恰是雇主最看重的主要能力之一。操作技能的缺失使学生的就业能力不足，“毕业即失业”的现象在印度愈演愈烈。此外，印度职业教育与普通教育缺乏有力的沟通桥梁，这也是职业教育不被重视的重要原因，需要通过制度层面的设计来加强普职之间的联系。

最后，职业教育是印度实现“有声有色大国”梦想的重要途径。对印度而言，其工程技术教育享誉全球，但中等教育层面的职业教育却质量不佳，这与其工程技术教育的优势形成强烈反差。因此，印度需要通过对中等教育层面的职业教育进行改革，来使其整个职业教育体系更进一步。

① T. V. Mohandas Pai. Higher Education in India: Vision 2030[R]. New Delhi: FICCI Higher Education Committee，2013：7.

2. 国家职业教育资格框架的主要内容

印度国家职业教育资格框架是一项关于技能学习、认证及其累积的描述型框架，通过一系列的知识和技能标准来组织资格证书框架，横向涉及学校体系内的普通教育与职业教育、学校体系外与学校体系内的沟通与衔接，纵向则涉及中等教育与高等教育之间的连贯与衔接。具体而言，其内容主要包括：

首先，制定国家职业标准。这是国家职业资格框架存在的前提与基础。行业技能委员会是制定国家职业标准的主要机构与部门，该委员会由国家技能发展协会从产业界和雇主中推选的代表组成。此外，印度技术教育委员会、中等教育中央委员会以及产业界的相关机构也参与标准的制定。

其次，对以往学习进行认定。这种认定实现了学习经验与学分之间的互认，避免了“一切从零开始”的尴尬局面，这也是职业教育体系不断完善的标志。这种认定由具有一定认证经验的机构进行，如全国开放教育机构、社区学院以及技术学院等。

最后，设计纵贯整个教育体系的学习路径。在整个国家职业教育资格框架中，每一阶段学习都对应有相应的职业资格等级，任何阶段的学习都可以实现“对号入座”，既实现了中等教育阶段学术教育与职业教育的衔接，也实现了中等教育与高等教育的贯通，具体衔接与贯通见表6-1：

表 6-1　国家教育研究和培训委员会设计的技能层级与证书等级一览表①

层级	证书	职业教育	普通教育	颁发证书机构
10	NCC8	学位(博士)	博士学位	综合大学和行业技能委员会
9	NCC7	研究生文凭	硕士学位	综合大学和行业技能委员会
8	NCC6		荣誉学位	学院或综合大学

① Ministry of Human Resource Development （Government of India）. National Vocational Education Qualifications Framework（NVQEF）[EB/OL].（2012-09-03）[2017-08-02]. http://mhrd. gov. in/sites/upload_files/mhrd/files/executive-order. pdf.

续表

层级	证书	职业教育	普通教育	颁发证书机构
7	NCC5	高级文凭	学士学位	技术教育董事会和行业技能委员会
6	NCC4		学士学位	综合性大学和行业技能委员会
5	NCC3	文凭	学士学位	技术教育委员会和行业技能委员会 地方教育委员会和行业技能委员会
4	NCC2		12 年级	中等教育中央委员会和印度学校证书考试委员会，邦委员会
3	NCC1		11 年级	中等教育中央委员会和印度学校证书考试委员会，邦委员会
2	NCWP2	10 年级	10 年级	学校和工业训练学院
1	NCWP1	9 年级	9 年级	学业和工业训练学院
以往学习认定	PRL2	8 年级	8 年级	国家 / 邦开放教育学院和行业技能委员会
	PRL1	5 年级	5 年级	国家 / 邦开放教育学院和行业技能委员会

注：PRL：以往学习认定；NCWP：工作准备全国证书；NCC：全国能力证书

就印度职业教育治理的保障层面而言，国家职业教育资格框架的出台无疑进一步推进了职业教育治理结构的优化与教育质量的提升，有利于印度由人力资源大国向人力资源强国的转变。具体而言，国家职业教育资格框架的出台与实施的价值在于：第一，基本上保证了全国范围内各邦在职业资格框架方面的统一性，这是一种基本标准上的统一，有利于中央政府职业教育方面相关政策的推行与实施。第二，加强了普职教育、中等教育与高等教育之间的沟通与连贯。以往印度职业教育面临的一个重要问题就是职业教育的终结性将职业教育逼进了“死胡同”，这也是印度职业教育发展不畅的重要原因。资格框架的出台则着力于教育体系纵向与横向的沟通与交流，此外还注重与产业界的交流与合作，以打破职业教育理论与实践相脱节的“弊病”。

最后，资格框架所倡导的学分转换与学习经验认证是当前国际职业教育界的潮流与趋势，这一模式的实施有利于印度职业教育走向国际化，提升其国际话语权与影响力。

二、印度职业教育治理的内部结构①

就印度职业教育治理的内部结构而言，其高等职业教育，尤其是工程技术教育体系内形成了一套较有成效的治理体系。鉴于其工程技术教育的国际影响力，本部分的内部结构以印度理工学院的治理体系为例予以说明。

《印度理工学院法》（1961）规定，印度理工学院采用五级治理体制，自上而下分别是视察员、理事会、管理委员会、议事会和院长或者相当于院长的其他学校内部管理职位。

1. 视察员

在印度，视察员是一个特殊的存在，处于印度理工学院治理体系“金字塔”的顶端，但事实上是一种名誉职位。《印度理工学院法》规定，印度现任总统是视察员的不二人选，视察员可委派一人或数人对各学院的教学科研工作及其进展进行审查，找出现存问题，并根据相关视察报告对各校提出相应的指示。视察员主要确定印度理工学院的办学大方向，有权对各校一切事务提出质疑并进行审查。这种表面上“专制”的视察员制度由于其荣誉性，实质上赋予了各印度理工学院最大程度上的自治权与自主权。

2. 理事会

理事会是印度理工学院治理体系的第二级，对各学院进行宏观层面的调控与治理，对各校具体事务则不作过多干涉。其工作职责主要是对各学院发展计划、年度预算、财政拨款、学制、学位、入学标准及考试制度以及师资队伍进行管理。其构成成员具有多样性，这在一定程度上保证了治理的公开性与透明性。具体而言，理事会成员主要包括：主席1名（人力资源开发部部长担任）、秘书1名（中央政府任命，由印度技术教育委员会成员担任）、所有印度理工学院的校长、政府任命的教育部、财政部和其他部门的3名委员、国会议员、印度大学准入委员会主席、印度班加罗尔科技学院管理委员

---

① 刘筱．印度工程技术教育发展研究[M]．北京：中国社会科学出版社，2016：108-110.

会主席、在教育领域及科技领域和工业界有重要影响的委员35名。

3. 管理委员会

管理委员会负责学校的具体事宜，包括：确定学校定位及办学方向，制定学校各项规章制度，拥有对学校议事会制定的各项制度进行审查的权利，同时也可以对课程设置、学校学术职位及其他职位的人员进行管理，具有审议、调整或取消相关法规制度的权利。总之，管理委员会的权力具有广泛性，凡是学术之外的学校行政事务几乎无所不包。就其成员来说，包括主席1名（视察员任命）、校长1名、学校所在地政府任命的具有声望的企业家或技术专家1名、理事会任命的在教育领域或工程与自然科学领域同时兼具特殊知识与实践经验的人士4名、由议事会任命的本校知名教授2名。成员的多样性可以避免因主观因素所做出的不合时宜的决定，一定程度上保证了决策的科学性与准确性，同时也对学校的行政事务形成了一定的监管，有利于印度理工学院健康稳定地发展。

4. 议事会

议事会是位于治理体系第四层级的机构，主要对学校的常规运行进行控制，对教学、考试的标准与质量进行维护与提升，并对各校章程中所规定的其他事务进行适当的干预。议事会成员包括主席1名，由校长担任，副校长协助主席处理各项工作；从事教学的教授若干名；管理委员会和校长任命的在自然科学、工程学或人文社会科学领域拥有很大声望的学者3名；学校规章中规定的其他人员数名。议事会的成员主要由教授和学者构成，这在很大程度上保证了高校的学术自治与学术管理，是高校学者自治与教授治校的最好表现。

5. 院长

此处的院长并非指印度理工学院某一学院的院长或校长，而是指在职位上类似于院长的整个管理体系，是各校的第五级管理层。成员具体包括学校各院院长、各学系主任、学生注册中心主任、分管学生事务的主任、监护委员会主席、图书馆馆长以及学校规划处主任等。这一层级的人员是保证学校正常运行的基础，也是学校发展与完善的中坚力量。

印度理工学院的治理体系如图6-3所示：

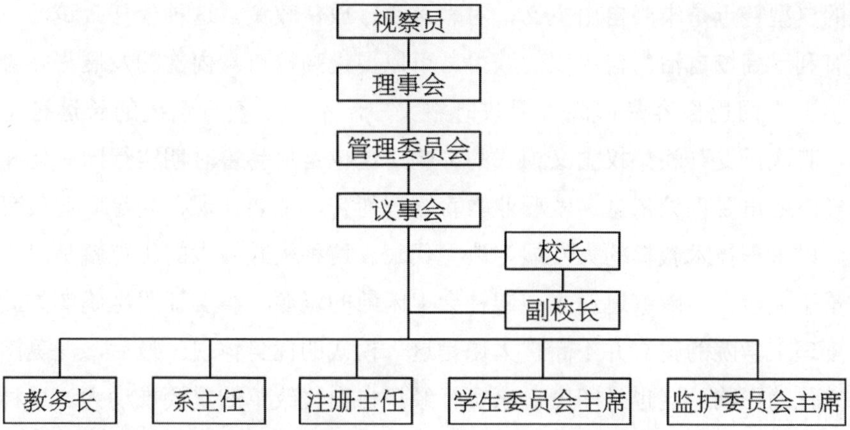

图 6-3　印度理工学院治理体系结构图

第三节　印度职业教育治理的特点

印度职业教育由来已久，在吠陀时代就已有职业教育的踪迹可寻。但纵观整个印度古代职业教育，受宗教的影响较大，尤其是种姓制度的影响，世俗化的成分极为薄弱。殖民地时期，随着现代教育体系的逐步建立，现代职业教育体系也初见萌芽，其世俗性也不断增强。1947年印度独立后，职业教育迎来了发展的春天，相关政策、法律法规的出台奠定了职业教育，尤其是高等职业教育的大发展，职业教育治理体系得到不断发展和完善。某种程度上，印度职业教育的发展就是职业教育治理的萌芽、发展、深化与完善的过程，并在漫长的发展与实践中形成了自身的特点。

一、多元文化影响下的复合型治理模式

对印度而言，其职业教育的治理经历了诸多探索与实践，并最终形成了目前的复合型治理模式，但这一治理模式并非“偶遇”的结果，而是多元文化综合作用影响的结果。首先，受“盎格鲁－撒克逊”文化的影响。这一文

化的典型特点是崇尚自由主义，对教育实行放任政策。这种放任政策，一方面有利于高校自治与自主权的获得，可以促进高校自身内部的发展与完善，但另一方面也极容易形成“无政府主义”，不利于教育系统的长远稳定发展。其次，受苏联集权主义模式的影响。这也是尼赫鲁时期实行国有化和国营经济的重要理论依据。就职业教育管理而言，主要体现在高等职业教育领域，以工程技术教育的大发展为典型代表。这种模式最大的优点就是“集中力量干大事”，能够迅速集中起社会上闲散的资源。事实证明也确实如此，印度理工学院的建立并不断扩大便是这一模式的优势体现。最后，受美国市场文化的影响。这也是印度后来实行经济自由化改革的重要推动力。这种文化对职业教育管理模式最明显的影响就是职业教育的私营化。以自筹经费学院为代表的私人力量的加入，一方面可以弥补中央政府教育经费不足的困境，促进教育经费来源的多样化；另一方面利益相关者的多样化在一定程度上也促进了监管机制的不断完善。在上述三种文化为代表的多元文化的影响下，印度形成了职业教育的复合型治理模式：公立职业教育以政府型治理模式为主导，私立职业教育机构侧重于发挥市场的资源配置作用，二者均坚持学者自治的原则。

二、多管齐下的职业教育治理“共同体”

任何教育治理都不可能是某一机构一朝一夕的产物，而是多方参与、多种力量综合作用的结果，印度职业教育治理也是如此，通过构建职业教育治理的“共同体”，促进职业教育质量的提升与改善。在印度职业教育的治理结构中，中央政府与邦政府形成的合作伙伴关系是第一梯队，它们分别负责职业教育治理相关政策的制定与实施，并提供职业教育所需的各类资源，是宏观治理的主体；以行业协会、产业机构为主要代表的产业界是职业教育治理的第二梯队，它们积极参与职业教育专业与课程的设置，并通过学徒制培训等手段提供职业教育的场所与环境。此外，它们还将行业的最新需求及时反馈并体现在课程的设置中，有利于职业教育技能的不断更新与完善，是职业教育的关键因素和主要参与者；而各类职业教育实施机构则是职业教育治理的基础与内在动力，以学校为代表的职业教育机构不仅决定了学生的职业知识与职业技能，而且对学生的职业道德与价值体系产生潜移默化的影响，是直接作用于“人”的参与者。此外，职业教育实施机构还扮演着连接产业界与学生的中介者角色。这三大职业教育治理梯队都以职业教育治理水平和职业教育质量的提升与改善为根本目标，在这一根本目标的影响下，三者形成职业教育治理的“共同体”，通过协商一致的政策与行动促进职业教育的发展与完善。

三、纵横贯通的职业教育资格框架

就印度职业教育体系而言，主要存在两个问题：一是中等教育层次普通教育与职业教育“老死不相往来”；二是中等职业教育与高等职业教育难以衔接。印度政府针对这两个问题，通过国家职业教育资格框架的设计与实施，来构建纵横贯通的职业教育治理网络。针对普通教育与职业教育存在的问题，资格框架通过资格证书转换、“桥梁课程”的设计与实施来实现职业教育与普通教育间的互融互通，而且双方资格可以互认；针对职业教育与高等教育的衔接问题，国家职业教育资格框架规定，高中阶段职业教育毕业生不仅可以在职业教育体系内获得高级毕业证书（相当于普通教育体系的学士学位）、硕士毕业证书（相当于普通教育体系的硕士学位）和学位证书（相当于普通教育体系的博士学位），而且还可以通过资格互认，继续接受高等教育。普通教育体系中的学生也可以通过同样的路径接受职业教育体系中的教育，二者是双向的。国家职业教育资格框架通过层次衔接与“桥梁课程”的设计，构建起了纵横贯通的职业教育网络，同时也为职业教育的质量提升提供了相应的保障手段。

印度职业教育治理从第一所职业学校产生至今大致可以划分为四个阶段，不同的阶段呈现出不同的特征，目前处在“综合治理”阶段。整体来看，印度职业教育治理既有成功的经验，又有失败的教训，在信息化时代，印度充分认识到职业教育的重要性，下一步将会大力发展职业教育，职业教育也将走向多元治理阶段，迎来快速健康的发展。

第七章　印度民族教育的优化治理

民族教育的治理关乎国家的统一和社会的安定，也是各个国家社会发展过程中尤其重视的问题。印度是个多宗教、多语言、多种族的国家，这些因素交织在一起，形成了印度错综复杂的社会文化背景，也导致了其复杂的民族问题。在印度，表列部落、表列种姓以及其他少数民族都带有民族的概念，他们的教育问题，都是印度民族教育治理的范畴。

印度政府官方文件上提到的少数民族通常是按照宗教信仰来划分的，主要有五大少数民族：穆斯林、基督教徒、锡克教徒、佛教徒和琐罗亚斯德教教徒(帕西人)。[①]另外，表列部落、表列种姓是印度的少数群体，也被囊括在印度少数民族教育治理的范畴内。

总之，不管是宗教少数民族还是表列部落、表列种姓，印度少数民族总体教育水平相对低下。为了尽早实现现代化，印度独立后采取了一系列的治理措施以促进少数民族教育的发展。在过去的70多年里，印度经历了全面、快速的发展阶段，教育水平快速提升，目前已经成为世界第三教育大国。作为一个复杂的多民族国家，印度对少数民族教育问题的处理颇具特色，非常重视少数民族教育的发展，将其视为维系社会公平、缓和民族矛盾的重要工具，不断加强对少数民族教育的治理。

第一节　印度民族教育由管理向治理的发展

印度是一个多民族国家，由于历史、地理、生活方式等原因，一直以来

① India. National Commission for Minority. Profile of NCM. [EB/OL]. [2017-08-13]. http://ncm.nic. in/Profile_of_NCM. html.

它都没有形成一个具有明显优势的主体民族，民族融合的程度较低。并且印度受到西方“民族国家”观念的影响，自独立之后一直坚持认为其在长期的发展和殖民斗争中已经融合为一个统一的民族，因此，印度国内并不强调“民族”的概念。但是他们又采取了很多措施促进民族教育的发展。随着印度对民族问题认识的加深以及社会背景的变化，印度对自身民族教育的治理措施也在不断改进，在不同时期，印度民族教育治理有着不同的任务及目标，也逐步探索出了具有自身特色的民族教育治理模式。

一、英国殖民时期的民族教育管理

受社会及宗教文化的影响，印度历史上的统治阶级对表列部落、表列种姓以及少数民族的歧视由来已久，英国的长期殖民统治更是加重了各民族之间的矛盾。英国为了维护自身的统治，利用印度各宗教、种族等之间的矛盾，对印度采取“分而治之”的差别对待政策，英国将英语作为官方语言，在教育中没有考虑到各地区、各个宗教以及各个种族的实际情况，强势推行英语教学，实施西方教育，这就导致很多少数民族和表列部落难以接受到有效的教学，入学率低，辍学率高，文盲率高，受教育水平低。

在此期间，印度的教育完全掌握在英国殖民当局手中，并且产生了一系列的问题，其中最主要的问题是教育不能适应印度社会的发展。同时，英国实行的奴化教育使人民思想愚昧，民族文化与民族意识逐渐弱化。这些问题激发了印度社会尤其是民族主义者的不满。20世纪初，在民族主义者的领导下，印度爆发了民族教育运动，要求形成和发展统一的民族教育体系，抵制殖民官办教育。1906年，印度民族教育委员会成立，成为民族教育运动的领导机构，同时宣布“在现行的初等、中等和高等教育体系之外，建立单独的而不是与之对立的奉行民族主义路线，并完全处在民族控制下的教育体系，包括文科、理科和工科在内”①。

英印政府为了镇压人们的反抗，维持社会稳定以及自身的统治，开始实施一些暂时性的安抚措施，包括改善少数民族和落后阶级生活水平，出台保

---

① 林承节．20世纪初印度的民族教育运动[J]．南亚研究，1987（4）：29-39.

障他们受教育权的优惠政策，但是他们的出发点都是为了维护自身的统治，政策实施后也被认为加大了民族之间的分化和隔阂，不利于民族教育的正常开展。

二、独立后的印度民族教育管理

印度独立之后，为了摆脱殖民时期的落后状况，政府比以往更加重视少数民族以及一些落后阶级的教育问题，加大民族教育管理的力度，通过一系列法律法规对其教育发展以及教育权利进行保障，并采取了一系列的政策措施，从中央到地方建立起多类型多层次的教育职能部门。

印度民族教育管理由此从英国殖民统治时期的殖民政府完全控制逐渐转为中央和地方共同监管，民族教育管理的权力不断下放，管理民族教育的职能部门不断发生变化。1950年《宪法》规定，分别为表列部落、表列种姓以及少数民族设置一位特派员，监管民族事务，并定期提交报告。1953年设立落后阶级委员会，1978年又设立少数民族事务委员会，1982年成立了最高工作小组，2006年设立少数民族事务部，这些机构负责监督和管理民族事务。目前，负责处理民族教育事务的机构主要有人力资源开发部、社会公平和权利部、部落事务部、少数民族事务部、全国表列种姓委员会、全国表列部落委员会、全国少数民族教育委员会、大学拨款委员会。

同时，印度政府也不断加强对民族教育的立法，中央和各邦政府在民族教育治理中的权力更加清晰，职能划分更加明确，逐渐建立起中央和地方相协调，社会多方力量共同参与的民族教育治理体系。

为实现建成现代化国家的发展目标。印度政府牢牢地把握教育这一重要工具，根据少数民族的教育发展现状以及现实需求制定和实施了一系列民族教育发展的政策和措施，不断加强治理力度，其治理进程大致经历了三个时期。

（一）尝试与徘徊期（独立后—20世纪80年代前期）

印度独立初期，社会经济政治百废待兴，而解决好少数民族问题是印度迈向现代化的重要一环。为了维持社会的稳定，印度政府倡导宗教平等，尤其关注少数民族教育的发展，力图通过教育缩小各民族之间的差距，改善少数民族的社会经济状况。

1950年，印度《宪法》出台，首先规定了非歧视原则，废除“不可接触制”，指出要特别关注落后阶级的教育，尤其是表列种姓和表列部落的教育，实行保留政策；规定了少数民族的受教育权以及建立和管理教育机构的权利，指出要为少数民族提供小学阶段的母语教育。以《宪法》原则为指导，独立后的印度政府开始了对少数民族教育管理的初步探索。

根据《宪法》相关规定，1950年，印度政府任命了表列种姓和表列部落专员，负责调查《宪法》中有关表列种姓和表列部落各项保护条款的实施情况，并定期向中央政府汇报。1978年，中央政府成立表列种姓和表列部落委员会，设在内政部。同年，印度成立全国少数民族委员会，以确保少数民族权益。1953和1979年，印度先后成立两个落后阶级委员会，卡莱卡委员会和曼德尔委员会，卡莱卡委员会指出要特别关注表列种姓、表列部落及其他落后阶级的教育发展问题，曼德尔委员会还就人们对保留政策的期许进行调查。从设立专员到成立全国性的咨询机构，体现出印度政府对少数民族事务的重视以及管理层面的逐步强化。

这个时期，印度少数民族教育的管理初见成效，获得包括法律、经济以及政治等方面的支持，但是受到印度政府管理能力的限制以及政权更替、政治斗争的影响，它呈现出一种稚嫩、矛盾和艰难的状态。一方面，《宪法》为少数民族的受教育权利提供了基本的法律保障，规定实施保留政策，但是它没有进一步明确受益群体的范围，保留政策受到诸多争议，甚至沦为政治斗争的工具。另一方面，虽然政府设立了一些委员会，但是这些委员会并未受到足够的重视，卡莱卡委员会和曼德尔委员会提出的报告也没有得到当时政府的采纳。总之，印度对少数民族教育的管理还处于初步尝试阶段，受国内政治环境的影响，管理路线几经徘徊，管理体系也尚待完善。

（二）基础教育普及期（20世纪80年代后期—21世纪初）

20世纪80年代后期，在争取人权和公民权运动之后，印度少数民族的权益意识提高，不断争取自己的受教育权。此时印度经济发展相对平稳，把公平与均衡作为基础教育发展的主题，少数民族被列入重点扶持对象，基础教育普及成为这个时期少数民族教育治理的主题。1986年，拉吉夫·甘地政府出台《国家教育政策》(1986),对少数民族教育发展提出了更高的要求,制定了更为细致的措施。1992年,拉奥政府在《国家教育政策》(1986)的基础上又出台了《行动计划》(1992),为基础教育的发展设计了蓝图与操作指标。此后,围绕基础教育普及与教育公平这个主题,印度少数民族教育治理有了新的进展。

在这一时期,印度开始实施一些大规模的基础教育普及计划。1988年,印度政府制订并与地方合作实施了社区初等教育计划,鼓励社区参与教学管理,以便少数民族地区的学生能够更好地接受初等教育,各种民间机构以及社区的自治组织也响应号召,积极参与。1989年,毛拉·阿扎德教育基金会成立,致力于改善落后群体包括少数民族的教育发展状况。1994年,印度政府又开始实施县初级小学教育计划,开办新学校以及非正规教育中心,加强学校的基础设施建设,部落教育和女童教育是这个计划的两大重点。2001年,印度人力资源开发部发起并实施了印度最大规模的全国性教育普及运动——初等教育普及计划,这项计划旨在为6—14岁的儿童提供初等教育,缩小因为种族、性别等带来的差异,为少数民族提供了一系列优待措施,包括建立学校、开办非正规教育机构等,极大地提高了少数民族基础教育的入学率。此外,中央政府的很多计划如"免费午餐计划""操作黑板计划"等都把少数民族作为重点关注对象,不仅减轻了少数民族学生入学的压力,同时也提高了他们对基础教育的重视程度,加快了少数民族基础教育普及的步伐。

随着印度基础教育普及计划的开展,少数民族的教育权利逐步得到实现和保障,受教育的机会增加。但是,因为少数民族教育自身的复杂性以及外在支持的相对缺乏,导致在较长的一段时期内,少数民族教育机构的管理出现了无序混乱的状况。再加上此前建立的一些少数民族管理机构并非只管理教育一项事务,它们对少数民族教育的管理有时显得力不从心。因此,2004年,印度颁布《全国少数民族教育机构委员会法》,成立了全国少数民族教育机构委员会,这是印度第一次专门为少数民族教育设立的委员会,少数民族建立和管理自己的教育机构从此有了更为集中的支持和指导。①

总的来说，这个时期印度少数民族教育治理着重于基础教育的普及，保障少数民族的受教育权益，降低文盲率，同时也出现了一些新的特点，比如治理的主体更加多元化、社会力量积极参与治理、管理机构不断健全等。

（三）教育质量提升期（21世纪初至今）

21世纪初以来，印度经济发展速度加快，少数民族受教育的机会明显增加，但是教育质量与全国平均水平相比仍有较大差距。因此，从受教育机会的惠及到重视质量的提升，印度少数民族教育治理进入一个新时期，开始推动少数民族教育水平向更高层次发展。

2006年是印度少数民族教育治理开启新篇章的一年，曼莫汉·辛格总理为首的印度政府批准了《总理关于少数民族福利的新15点计划》，为了实现该计划的目标，政府计划将财政拨款的15%用于少数民族事务。②该计划尤其指出了要改善少数民族的教育，包括改善学校教育条件，为优秀的少数民族学生提供奖学金以及通过毛拉·阿扎德教育基金会改善教育基础设施等。同年，少数民族事务司从社会公平和权利部划分出去，成为中央一级管理机构——少数民族事务部，以确保对有关宗教少数民族的问题采取更有效的解决方法。同年11月，撒卡尔委员会提交了一份报告，调查了穆斯林教育的总体状况并有针对性地提出了包括基础设施建设、师资配备、课程内容研发以及帮助少数民族进入高等院校学习的各项建议，为穆斯林教育发展提供了较为全面的指导。③

此后，印度政府加强了对少数民族教育的治理，进一步加大了对少数民族教育的投入，奖、助学金不断增加，还实施了全国性的教育质量提升

---

① India. National Commission for Minority. The National Commission for Minority Educational Institutions Act，2004[EB/OL]. [2018-03-18]. http://ncmei. gov. in/WriteReadData/LINKS/1f24301a_NCMEI%20Act，%20as%20amended81819eb3-f644-45e5-8892-b4c9fed9972c. pdf.

② India. Ministry of Minority Affairs. Prime Minister's 15 point Programme for the Welfare of Minorities[EB/OL]. [2017-09-25]. http://minorityaffairs. gov. in/sites/default/files/pm15points_eguide. pdf.

③ India. Ministry of Minority Affairs. Sachar Committee Roport. [EB/OL]. [2017-09-25]. http://minorityaffairs. gov. in/en/reports/sachar-committee-roport.

计划。

2008年，印度开始实施马德拉萨教育质量提升计划以及少数民族教育机构基础设施计划，前者旨在使穆斯林儿童能够接受到和正规教育系统水平相一致的教育，着重改善课程以及教师培训，后者主要是改善私立公助和私立少数民族教育机构的基础设施建设，并且提出少数民族占20%以上的县区和镇可以优先发展，促进了少数民族教育质量的提高。①

印度在“十二五”计划（2012—2017）中提出各种奖学金和补贴政策要以满足少数民族学生的需要为主要目标，继续提高少数民族学生入学率，减少其辍学率；②“2020年印度愿景”中提到，为了实现团结和有生产力的社会，就必须对表列种姓、表列部落以及其他落后群体的教育制定特殊的方案。③规划及愿景的提出，把少数民族教育的发展提升到国家发展战略高度，体现了国家对少数民族教育发展的重视程度，同时也表明印度少数民族教育治理已经不再仅停留在保证入学机会上，而是比以往更加强调提升教育质量，共同把印度建立成一个学习型和知识型社会。

第二节　印度民族教育治理的结构

印度的民族教育治理具有复杂的社会历史背景，造就了其复杂又具有特色的民族教育治理体系。印度少数民族教育治理经过了探索—发展—深化的过程，经过长时期的探索与努力，现在已经步入正轨，既有法律作为保障，又有相互协调的组织机构以及各方社会力量的广泛参与，形成了相对成熟的

---

① India. Ministry of Minority Affairs. Prime Minister's 15 point Programme for the Welfare of Minorities[EB/OL]. [2017-09-25]. http://minorityaffairs. gov. in/sites/default/files/pm15points_eguide. pdf.

② India. Faster, Sustainable and More Inclusive Growth. An Approach to the Twelfth Five Year Plan （2012-17）[EB/OL]. [2017-10-17]. http://planningcommission. nic. in/plans/planrel/12appdrft/appraoch_12plan. pdf.

③ India. National Council of Educational Research and Training. Vision 2020- Education[EB/OL]. [2017-11-02]. http://www. planningcommission. gov. in/reports/genrep/bkpap2020/14_bg2020. pdf.

少数民族教育治理结构。

（一）相对完善的法律政策体系

独立之后，印度颁布了一系列法律法规，众多法律都专门提及和强调要大力扶持和发展少数民族教育，以促进教育公平，改善其教育状况。

1.《宪法》

《宪法》规定了少数民族受教育的权利，享有自己语言、文化的权利。例如，第29条规定：任何居住在印度的公民都有保留他们自己的语言、文字和文化的权利；任何公民不能因为宗教、种族、种姓、语言或其他任何理由而被禁止入读公立学校或接受政府补助的学校；第46条规定：要维护表列种姓、表列部落在教育和经济方面的权益。

此外，第29条和第30条还规定了少数民族创办和管理自己教育机构的权利：要保证少数民族，无论是基于宗教的还是基于语言的，具有一定的文化权利和教育权利，以创办和管理他们自己选择的教育机构，支持少数民族创办自己的教育，鼓励少数民族教育发展的多样性。在此基础上，《宪法》进一步对少数民族教育机构的管理提出了具体要求：少数民族教育机构有权自主规定学校课程，但是在保留自身的语言、宗教文化的同时，应当向学生传授世俗课程，保证少数民族对印度文化有整体性的认知，同时，也对教师的任用、工作条件等做出了基本的规定。

《宪法》是印度少数民族教育发展的指导性文件，规定了印度少数民族的基本教育权益，为少数民族教育治理提供了最根本的法律保障。

2.《儿童免费义务教育权利法》

该法案于2009年8月26日颁布，于2010年4月开始正式实施，规定了印度所有6—14岁的儿童都将接受基础教育。还特别强调要为表列部落、表列种姓和其他落后阶级的儿童提供基础教育。规定了中央和地方政府对少数民族教育发展的责任，要求各级政府以及地方当局要在法案生效后的3年内，在所辖地区没有学校的地方建立学校。此外，各级政府还要按照规定的比例对学校进行一定数额的投资，并负责提供学校基础设施，包括学校建筑、师资队伍和学习设备等。①

3.《国家教育政策》（1986）

《国家教育政策》（1986）对表列部落和表列种姓的教育治理进行了专门的说明和规划。首先，指出人人都有受教育的权利，强调了教育的双重维度，即消除差异和教育机会均等。为了平等和正义，要更多地注意少数民族的教育发展，包括基于《宪法》的保证以建立和管理他们自己的教育机构。其次，尊重少数民族语言文化并充分利用其教育作用。文件指出，启蒙阶段必须用部落语言设置课程、编辑教材，做好过渡到使用地区通用语言的安排；要精心设计各阶段的课程，使学生认识到自己丰富的部落文化和巨大的创造才能；鼓励和培训受过教育、有上进心的部落青年在部落地区从教。最后，指出要对少数民族的教育采取特别的优待政策以及补救性方案，以弥补其教育弱势，包括给予政策倾斜和优先权。该文件不仅对少数民族教育治理进行了方向及原则上的指引，也有具体实施上的指导和要求，是继《宪法》之后的又一重要纲领性文件，对普及少数民族教育，确定少数民族教育治理方向具有重要的意义。

4.《行动计划》（1992）

《行动计划》（1992）是对《国家教育政策》（1986）的修订和细化。一方面，它指出，因为资金的缺乏，《国家教育政策》（1986）中所提及的很多项计划都没有得到各邦政府的有效执行，并且中央和各邦也没有定期提交监测报告，因此，要继续实行有利于少数民族教育的各项计划，同时在中央和地方都建立特殊的监管机制，监管委员会中必须有来自社区、志愿组织以及政府相关机构的代表，以确保各项计划的有效落实。②另一方面，它为少数民族教育制定了短期、中期以及长期的规划，其中长期规划涉及了少数民族各级各类教育，体现了全方位帮助少数民族教育水平提升的原则和要求。该计划指出，要在部落地区全方位落实教育计划，把学前教育、非正规

---

① 孙珂．基础教育阶段少数民族教育优惠政策的比较研究——以美国、英国和印度为例[J]．外国教育研究，2011（9）：6-11.

② India. Ministry of Human Resource Development. Programme of Action 1992[EB/OL]. [2017-10-13]. http://mhrd. gov. in/sites/upload_files/mhrd/files/document-reports/POA_1992. pdf.

教育、基础教育和成人教育（含扫盲教育）作为一个整体，以提高部落人口识字率。

（二）相互协调的组织机构网络

印度是一个联邦共和制国家，实行的是中央和各邦共同负责的教育行政管理体制。在中央统一指导下，中央和地方共同参与教育政策的制定。目前，少数民族教育在中央主要由人力资源开发部、社会公平和权利部、部落事务部以及少数民族事务部共同负责。

人力资源开发部是全国教育发展规划的主要机构，负责制定全国统一的政策和发展计划，制定与课程、教材、教师招聘、调动政策等相关的实施细则和指导意见。内部设有学校教育与扫盲司和高等教育司，尤其关注一些特殊群体如少数民族的教育发展，旨在提高其受教育机会以及教育质量。该部门下设国家少数民族教育监督委员会，为永久性常设委员会，负责所有涉及少数民族教育发展的事务并提出建议，行使部分监督权力。

社会公平和权利部旨在促进社会公平正义，维护社会边缘群体、弱势群体，包括表列种姓、经济和教育上的其他落后阶层的权益，为其发展提供足够的支持，创建一个包容性的社会。为了促进少数民族教育发展，一方面，社会公平和权利部制定和执行各种方案，主要包括奖学金计划、住宿条件改善计划以及学生的课程补救计划。另一方面，该部门也监督和评估一些计划的执行，包括各邦以及中央直辖区、非政府组织以及本部门内部机构计划执行情况，确保少数民族各项教育福利计划的有效执行。

部落事务部下设教育司，对部落教育的总体政策进行规划和协调，以合作与计划性的方式，通过各种干预措施管理部落教育，为中央、各邦以及其他志愿者组织发展部落教育提供补充和支持。它积极开展对表列部落和表列种姓学生的教育资助，目前已经开展了4种奖助学金计划：高中层次以下奖学金计划、高中层次以上奖学金计划、国家表列部落学生高等教育奖助学金计划、国家海外奖学金计划。随着这个部门各项工作的开展，表列部落和表列种姓学生获得了更多教育上的帮助和支持。

少数民族事务部则旨在对有关宗教少数民族存在的问题采取更集中的方法，增强少数民族自我服务的能力，通过权利平等的行动以及包容性的发展，改善少数民族的社会经济状况，使少数民族能够在教育、就业、经济活动以及自我提升中拥有平等的机会，共同建设一个充满活力的国家。主要任务包括制定全面政策和规划、协调、评价、审查管制框架和发展方案，以造福少数民族社区。另外，这个部门还设立多项奖助学金，资助少数民族教育发展机构、非政府机构，如毛拉·阿扎德教育基金会，确保少数民族教育福利。现任少数民族事务部部长和议会事务部部长穆奇赫·阿巴斯·纳奎夫在2017年新德里举办的“少数民族社区教师协会”国家研讨会上表示，少数民族事务部将建立技术、传统与现代医疗等领域的5所世界一流民族大学，为少数民族学生提供更好的传统与现代相结合的教育。①中央已经任命了一个高级委员会制定这些大学的框架及配套战略，以便这些大学可以在2018年开始运作。此外，2017—2018年印度中央政府对少数民族事务部的财政拨款已经增加到419.5亿卢比，比上年增长9.6%。少数民族事务部计划将这些财政拨款的70%以上用于保障少数民族教育权利和实施就业指导计划，为大约35万名少数民族社区学生提供奖学金以及2万多名少数民族青年提供就业培训。②

（三）各司其职的治理“智囊团”

诸多关涉少数民族事务的咨询委员会是印度少数民族教育治理的智囊团，它们为印度少数民族的教育发展提供信息咨询和教育决策上的建议支持，是印度少数民族信息传达的平台，也为印度少数民族教育的发展给予了不容忽视的支持和帮助。

1. 全国表列种姓委员会和表列部落委员会

1987年，印度政府将“表列种姓和表列部落委员会”升格为国家级咨询机构“全国表列种姓和表列部落委员会”，设在福利部内。2004年，全国表

---

① New Delhi. Establish 5 world class educational institutes to provide better traditional as well as modern education to Minority students [EB/OL]. [2017-11-20]. http://www. newstrackindia. com/newsdetails/2017/3/2/1-Establish-5-world-class-educational-institutes-to-provide-better-traditional. html.

② India. Ministry of Tribal Affairs. Guidelines of scheme “National Fellowship and Scholarship for Higher Education of ST students [EB/OL]. [2017-11-2]. https://tribal. nic. in/DivisionsFiles/Education/RevisedGuidelinesFellowshipandScholarship1718. pdf.

列种姓和表列部落委员会被分为两个新的机构“全国表列种姓委员会”和“全国表列部落委员会”，前者设在社会公平和权利部，后者设在部落事务部。这两个委员会负责调查《宪法》规定的表列部落以及表列种姓权益的保障和实施情况，评估各项工作的开展，包括评估政策的实施、各项教育计划的执行等，接收表列种姓和表列部落人民对权益剥夺的投诉，为他们提供政策咨询，也为中央和各邦促进他们的福利以及经济发展所采取的措施提出相应的建议。虽然这两个委员会主要是咨询机构，但是它们被赋予了广泛的参与权和监督权，具有与民事法庭同等的权利。[①]

2. 全国少数民族教育机构委员会

2004年12月，印度国会通过了《全国少数民族教育机构委员会法》，全国少数民族教育机构委员会成立，这是中央第一次为维护少数民族选择和管理自己教育机构的权利而建立的委员会。

该委员会是一个准司法机构，具有民事法庭的权力，具有行使裁定职能、咨询和建议三种权力，可以就有关少数民族教育机构的任何问题发表意见和建议，定期搜集和调查关于剥夺或侵犯少数民族权利的具体投诉，核心任务是确保由政府认定的宗教少数民族群体能够真正享受到宪法所赋予的少数民族教育权利，主要负责解决少数民族教育机构与大学的纠纷，处理有关剥夺、侵犯权利的投诉，建立和管理少数民族自己的教育机构。

3. 全国少数民族委员会

1992年，印度颁布《全国少数民族委员会法》，1993年，成立了新的具有法定地位的全国少数民族委员会以代替1978年成立的全国少数民族委员会。该委员会的职责是保护《宪法》和法律所规定的少数民族的利益，保障少数民族合法权益的有效获得，广纳民意，向政府提供相应的建议以及解决方案，同时开展涉及少数民族社会经济和教育发展的相关问题研究，定期向中央政府提交报告。安得拉邦、阿萨姆邦、比哈尔邦、恰蒂斯加尔邦、德里邦、贾坎德邦、北方邦和西孟加拉邦等十多个邦也各自设立了少数

---

① 安双宏，李娜，王占军．印度教育公平战略及其实施成效研究［M］．杭州：浙江大学出版社，2015：89.

民族委员会，办公室设在邦首府，以处理各邦少数民族事务。

4. 大学拨款委员会

印度于1953年成立了大学拨款委员会。1956年，印度议会通过《大学拨款委员会法》，使该委员会正式成为协调和维护高等教育标准的法定机构。该委员会的主要任务是协调大学的教学、考试以及课程标准等，也负责在高等教育领域向少数民族学生提供资助，包括奖助学金计划、课程补救计划、宿舍修建计划等，以促进少数民族学生能够接受更高水平的教育。2006年，为了挽留高等教育中的优秀人才，大学拨款委员会实施了拓展公立大学奖学金的计划，其中包括为表列种姓和表列部落学生提供的专项拨款计划，使得少数民族奖学金受益群体扩大。

此外，印度大学拨款委员会还专门设立了负责表列种姓、表列部落和其他落后阶层高等教育治理的高等教育办公室和一个常务委员会及相关小组委员会，对保留政策的实施进行有效监控，处理和解决相关投诉。

（四）不断崛起的社会力量

印度独立之初，政府就鼓励社会力量积极参与到少数民族教育之中，起初只是少数民间机构以及基层自治组织参与其中。随着少数民族权益意识的不断提高以及政府的鼓励，社会力量参与积极性不断高涨，基层组织、非政府组织等积极参与，协调配合，成为少数民族教育治理的坚定力量。

社区、家长、学校积极响应和配合少数民族教育政策的实施，家长教师协会、学校管理委员会等基层组织通过重组或者重新发挥作用，促进了少数民族地区教育目标的实现。在这些基层组织中，还有不少是表列部落、表列种姓以及少数民族的代表，因此它们能够积极反映地方的需要，代表最广泛的少数民族群众的利益，对少数民族教育的发展起到了积极的推动作用。

此外，非政府组织包括基金会、民间志愿组织等都积极参与少数民族教育的治理。其中较为重要的是毛拉·阿扎德教育基金会。它是一个非营利性的社会服务组织，于1989年7月6日成立，受到印度少数民族事务部资助，少数民族事务部部长是基金会的第一任主席。该基金会的目标是促进社会中教育落后地区的教育发展，主要为教育落后的少数民族制订教育计划和方案。同时，它也为其他非政府组织开展的教育活动提供资助，为优秀的少数民族学生提供毛拉·阿扎德奖学金，促进了少数民族尤其是落后地区少数民族教育的发展。

总之，在独立后70多年的历程中，印度少数民族教育的发展既有法律作为保障，也有政府教育行政部门以及教育咨询委员会的行动支持，还有众多社会组织、社会力量的积极配合与参与，形成了一个相互协调的少数民族教育治理结构。

第三节　印度民族教育治理的特点

印度本身不强调多民族的概念，认为印度就只有一个民族，那就是“印度族”，但是在实际的教育发展过程中，又采取了很多措施促进民族教育的发展。作为一个多宗教、多种姓、多语言的国家，印度的少数民族教育治理情况复杂，独立后经过70多年的发展，印度少数民族教育治理成效显著，同时也彰显出了一些显著的特征。

一、多元一体的治理模式

印度在少数民族教育治理上，形成了多元一体的治理模式，即在中央行政权力主导下，中央和地方共同管理少数民族教育，各委员会建言献策，社会力量共同参与，共同服务于少数民族教育治理。

中央政府主要负责宏观调控，由人力资源开发部、社会公平和权利部、部落事务部、少数民族事务部以及各咨询委员会对印度少数民族教育的发展进行管理和监督。各邦在中央的领导下建立地方一级的管理机构，定期向中央汇报发展情况，共同参与政策的制定。在地方，又有各种基层组织、非政府组织、志愿组织例如家长教师协会、学校管理委员会等社会力量积极参与到少数民族教育治理之中，在政策落实、资金赞助、教育管理等方面都做出了极大的努力，是发展少数民族教育的一股重要力量，最终形成了多元一体的少数民族教育治理模式。

印度各地的发展情况不一，少数民族问题复杂，这种中央宏观调控、地方自主发展的模式，尊重了各地的发展情况，使各邦可以根据自身的实际情况对少数民族教育发展做出自己的规划，做到因地制宜。但是这种模式同样也产生了很多问题。例如，因为繁杂的机构设置，中央和地方之间没有形成良好的协调，地方情况复杂，中央对地方的约束力不强，再加上政府机构规划和管理不力，缺乏监管机制，出现贪污腐败、效率低下等现象，使得中央颁布的法律、制定的政策很难在地方得到有效落实。

二、法律法规体系相对严密

法律法规能够为少数民族教育的实施提供坚实的保障，切实保障少数民族群体的利益和受教育权，使少数民族教育治理有法可依，不至于在实施过程中完全流于形式。

印度独立后，政府非常重视少数民族教育的发展，颁布的大部分法律都会提及少数民族教育问题，强调要重视教育上的落后阶层包括少数民族的教育发展，根据其需求制定特殊的教育发展政策，不断完善少数民族教育相关的法律规定，为少数民族教育发展提供法律保障，形成了在《宪法》指导下的相对严密的法律保障体系。印度1950年《宪法》确立了非歧视原则：所有公民、不论宗教、种族、语言，都拥有受教育的权利以及创办和管理自身教育机构的权利，对表列部落、表列种姓以及其他落后阶层实行保留政策，增加了少数民族接受高等教育的机会。历次《宪法》修正案则对少数民族教育规定进一步完善。其后，《儿童免费义务教育权利法》《国家教育政策》（1986）以及《行动计划》（1992）等都对少数民族教育发展提出了更加全面的政策指导。此外，还有地方性的法律法规，让少数民族教育治理具有地方适切性，形成了相对严密的少数民族教育法律法规体系。

三、政府长期的高度重视

少数民族教育在尊重各民族文化的基础上，能够加强民族的团结力与民族自信心，构建和谐的民族关系。印度作为一个多民族并且民族关系复杂的国家，加强少数民族的教育治理显得尤为重要。

印度独立70多年以来，非常重视教育公平问题，尤其重视少数民族教育。一方面，在宏观治理层面，印度政府不断建立管理和咨询机构，机构之间相互协调，相互监督，自上而下建立起相对完善的治理结构，少数民族教育治理得以有效进行。另一方面，在微观的实施层面，印度政府不断加大对少数民族教育的投入，有财政上和非财政上的、直接和间接的激励计划。财政上的直接救济包括奖助学金政策、助学贷款、提供教科书和文具；间接救济包括旨在改善质量的方案，如基础设施的完善与修建、补救课程、提供优质教学等；还有一些社会福利项目，例如免费午餐计划、男女生住宿计划等。有些资助政策被纳入国家的经济建设计划中，例如印度历次的“五年计划”都会着重强调对少数民族教育的投入，为少数民族教育设立专项基金；有些直接指定专项发展计划，如旨在减少种族差异的“少数民族学生学业成绩拨款计划”、奖励优秀少数民族学生的“总理关于少数民族福利的新15点计划”等。此外，印度政府还为表列部落、表列种姓以及少数民族设立了“中央奖学金计划”“海外留学奖学金计划”“研究生奖学金计划”等，说明了印度政府对少数民族教育治理尤为重视，不仅仅支持少数民族学生完成基础教育，更支持他们追求多种形式以及更高层次的教育，为少数民族教育的发展建立了一整套资助体系，大量少数民族学生从中受益，获得了进一步接受教育的机会。

四、尊重多样性助力教育治理

印度是个多民族、多语言、多宗教的国家，因此，在民族教育的发展过程中应当如何对待各个民族的文化成为一个首先应当考虑的问题。毋庸置疑，每个民族都有自身的文化特色，这种文化特色是教育治理不可忽略的内容，只有真正尊重各民族的文化，把民族文化和教育发展相结合，才能真正实现民族教育的优化治理，确保教育公平，促进各个民族的和谐共处。在印度政府进行民族教育的治理过程中体现了对民族文化的尊重。

1. 印度政府尊重了民族语言的多样性

虽然印度的语言政策经过多次的制定、修改、争论，但是最终还是考虑了各个民族的实际情况，实行了具有灵活适应性的三种语言政策。虽然三种语言政策在实施之后还是受到不少的诟病，引来很多的争议，但是这也与印度的民族状况密切相关，不能否认三语政策的实施所产生的实际效果。除此之外，在学校教育中，印度政府也鼓励学校聘用当地教师或者具有当地语言教学能力的教师进行教学。这项政策促进了少数民族学校中当地教师以及具备当地语言教学能力的教师的聘用，建立起教师和学生之间沟通的桥梁，有效地促进了少数民族教育教学的开展。

2. 地方民族教育政策的开展具有较大的灵活性

在民族教育发展中，中央给予了地方较大的行政权力，地方民族教育政策的开展具有较大的灵活性。在印度基本就是按照语言划分行政区域，中央制定的民族教育发展政策不一定能够适用于所有的邦。因此，中央规定，各邦可以根据自身实际制定民族教育发展的法律法规，这也是尊重民族文化多样性的表现。很多民族教育发展政策都是基于各地的实际而制定的，体现了对多民族文化的尊重，使得民族教育政策能够顺利、有效、灵活地开展。

民族教育是一个国家教育事业的重要组成部分，进行民族教育的优化治理有利于促进各民族的教育公平，缩小社会差距，促进民族关系的发展，是民族自尊心、自信心的体现。对多民族的印度而言，民族教育的治理复杂且难度极大。通过印度政府一些积极的发展政策的实行，印度的民族教育治理取得了一定的成效，例如表列部落、表列种姓以及其他少数民族的入学率、识字率都有所增长，教育水平得到了提升。但是依旧存在一些问题，例如在民族的概念上依旧不清晰、民族教育治理中缺乏良好的监督和管理机制、中央和地方的协调不当、政策不能有效落实等，需要在实践中不断探索，加以改进。印度在“2020年印度愿景”中提到，要把印度建成一个学习型和知识型社会，而其中提到，为了实现团结和有生产力的社会，就必须对表列种姓、表列部落以及其他落后群体的教育制订特殊的方案。政府的努力还在继续，相信印度对民族教育的治理也会逐渐完善。

第八章 印度教育治理的审视与展望

印度独立至今70余年，这70余年见证了印度迈向真正独立和振兴的奋斗历程，而对教育的全面改革正是其背后的助推器。印度开国总理尼赫鲁曾这样定位印度的国际地位："印度以它现在所处的地位，是不能在世界上扮演二等角色的。要么就做一个有影响力的大国，要么就销声匿迹，中间地位是不可能的。"①要建设这样一个世界一流大国，印度几代领导人都深切明白其中的核心任务即人才培养，只有高质量的教育培养的高质量人才才能让印度紧跟世界发展潮流，跻身世界大国之林。科教兴国是印度历届政府的共识，尼赫鲁曾亲自担任全国科学和工业研究委员会主席；英迪拉·甘地执政期间，印度高等教育得到迅猛发展，其高等教育的规模和技术人才的数量仅次于美国和苏联；拉吉夫·甘地是著名的"计算机总理"，认为印度不能错过电子革命和计算机革命这班车；瓦杰帕伊强调印度要成为信息技术大国、核大国和生物技术大国；曼莫汉·辛格政府也坚持科技发展政策，并表示要重建科技保障体系和为科研人员创造更好的研究条件；莫迪政府表示要支持创建世界一流大学。②在历届政府的领导下，印度教育取得了令人瞩目的成就，尤其是高等教育，印度理工学院仅用40年时间成长为世界一流大学，为国家培养出一批位居世界前列的工程技术专业人员。③

印度教育的改革涉及方方面面，印度对教育的有效治理是其培养众多高质量创新人才，使诸多行业（如IT业和服务外包业）在全球竞争中异军突起的源动力之一，因此教育治理能力的提升是印度政府持续关注的改革重点

---

① 贾瓦哈拉尔·尼赫鲁．印度的发现[M]．齐文，译．北京：世界知识出版社，1956：57.

② 安双宏．印度教育战略研究[M]．杭州：浙江教育出版社，2014：9.

③ 2006年英国《泰晤士报高等教育副刊》工科专业世界排名中，印度理工学院排名世界第三，仅次于麻省理工学院和加州大学伯克利分校，领先于帝国理工大学、斯坦福大学和剑桥大学。

之一，70余年来逐步形成特色鲜明的教育治理体系。当然，不可否认的是，由于底子薄、任务重，印度教育仍然存在很多问题，这些问题也使印度教育治理在国际教育治理格局中争议不断，也为印度教育均衡治理带来挑战，治理水平、深度、效率等都一定程度上受到影响。造成这些问题的原因十分复杂，文化传统、现实国力等多种因素的交织使这些问题和争议难以在短期内得到有效解决，这些问题也是未来印度教育治理需要着力调整和解决的。

第一节　印度教育的成就和问题

对于印度教育治理的综合审视与展望有必要对印度这70余年教育发展的基本情况进行回顾，回顾取得的瞩目成就和发现存在的不足和问题，均是教育治理改革时应当关注的重点，尤其要关注存在的不足和问题，以便通过提高治理能力有效、高效地解决存在的不足和问题。

一、印度教育的主要成就

总的来说，印度教育的主要成就有以下几点：

（一）普及8 年初等义务教育的目标已经实现

1950年《宪法》提出了要在10年内普及8年初等义务教育的目标。在印度的第一个“五年计划”期间，国家教育经费的56%拨给了初等教育。之后，初等教育一直是印度教育政策关注的重点。2015—2016年度，印度初等教育毛入学率为96.9%，实现了普及8年初等义务教育的目标。

（二）中等、职业教育分流取得一定进展

印度早在20世纪60年代就提出了中等普通教育和职业教育适当分流的主张；科塔里委员会和《国家教育政策》（1968）强调了中等职业教育要与经济发展紧密联系；《国家教育政策》（1986）提出力争到2000年把高中教育阶段25%的学生分流到职业教育中。虽然这个目标至今还没有全面达成，但是，中央政府和专家学者对职业教育的重视以及职业结构调整的客观需要，必将逐步扭转印度社会长期以来“重脑力、轻体力”和“重学轻术”

的风气。[①]

（三）对弱势群体受教育权利的保障日益加强

独立后的印度政府为处于社会底层长期受压迫、受歧视的表列种姓、表列部落分别保留了15%和7.5%的高等院校入学名额，后来又为“其他落后阶级”保留了27%的入学名额，这些弱势群体在参加高校入学考试时，会获得优先录取的机会。尽管他们在进入高校之后通常还要接受补习教育，许多人甚至由于跟不上学业进度而不得不退学，但是保留政策对维护印度的教育公平发挥了一定的积极作用。[②]

（四）高等教育成就突出

印度高等教育的成功成为支撑其聚集国际人才、助力快速发展战略目标的重要支柱。尤其是在IT领域，依靠高等教育为印度软件业培养出大量的能编程的软件白领和蓝领，使得印度的软件企业形成了“项目经理→系统分析员→软件工程师→具体程序员”这样合理的人才结构。正是因为有了大量的基础技术人才，印度才能后来居上，使得其IT行业享誉全球。

二、印度教育的问题

从独立之初的穷国成为如今最具发展潜力的大国之一，印度在教育方面倾注大量精力，上述成就的取得均受益于助力教育发展的多项政策。但是按照印度目前的追赶目标，尤其是追赶中国的目标，以下的种种棘手问题成为摆在印度面前的一道道难关，除了要实现教育发展的具体目标，印度社会中的种姓问题、阶级问题、宗教问题、人口问题、语言问题、性别问题（极端歧视女性）错综复杂，这些政治、经济、社会和文化因素，都直接阻碍并将长期制约印度的教育发展。目前印度教育存在的主要问题有[③]：

（一）教育目标过于宏大

印度一般以制定“五年计划”的方式确定下一阶段的目标，这种方式利

---

①② 安双宏．印度教育60年发展的成就与问题评析——基于教育政策的视角[J]．比较教育研究，2011(6)：66-70.

③ 杨汉清．比较教育学（第三版）[M]．北京：人民教育出版社，2015：121-123.

于实现目标，但由于底子薄，又有急于追赶发达国家的心理，印度每次制定的目标往往超越现实，难于实现，反而欲速不达。这方面的例子不胜枚举。

表 8-1 印度教育目标制定与实现情况

	预期目标	实现情况
1950 年《宪法》	到 1960 年普及 8 年初等义务教育	未实现，只普及了 5 年初等义务教育
1986 年《国家教育政策》	2000 年高中阶段职业教育比例占 25%	2005—2006 年只有 5%
"十一五"计划（2007—2012）	到 2012 年新建 14 所中央大学	未实现，尚未获得法律批准

（二）各级教育成效不足

印度教育存在的一个主要问题就是各级教育成效尚有很大不足，这个问题在各级教育都有表现。比如：有38%的4年级学生竟然连短小句子构成的一小段文章都看不懂，而这原本是2年级学生就应该达到的阅读水平；大约55%的4年级学生不会进行三位数除以一位数的除法运算；辍学率甚高，初等教育阶段女生的辍学率明显高于男生，1999—2000年间，女生的辍学率竟然高达58%，比男生的辍学率高出6个百分点；成人文盲数目巨大。据联合国教科文组织2014年1月29日发布的《2014年全民教育全球监测报告》：在印度接受4年小学教育后，仍有90%的文盲；接受5—6年的小学教育后，仍有30%的文盲；印度现有2.87亿成人文盲，是世界上成人文盲数量最多的国家。①

又如高等教育，在2014年，印度在校大学生人数已经超过美国，成为世界上第二大规模高等教育体系，仅次于中国。②体量不可谓不大，但质量委实令人担忧。据印度国家评估和认证委员会最新收集的数据显示，印度

① 陶媛．2014全民教育全球监测报告：印度学校课程超出学生可接受范围[J]．世界教育信息，2014（7）：72.

② 王文礼．《印度高等教育：2030年的愿景》述评[J]．大学（研究版），2015（10）：53-60.

62%的大学和90%的学院的教学质量持平或低于国际平均水平。2006—2007年度，在接受大学拨款委员会拨款的164所大学中，只有128所获得了印度国家评估和认证委员会的认证，这其中又只有32%的大学获得A级或A级以上，52%获得B级或B级以上，剩下16%的大学得到C级或C级以上。这表明，印度半数以上的大学办学质量不高。

（三）教育体系不均衡，教育结构呈“倒金字塔”

印度目前已经建立了门类较为齐全的教育体系，但各级各类教育发展极不平衡，总的来说，轻基础教育而重高等教育，轻职业教育而重普通教育，结果造成高等教育规模庞大，而8年义务教育实施60年后才完全普及。由此也带来高等教育质量不高、效益低下、毕业生失业、人才外流等问题。

从印度的经济结构看，其第一产业仍旧是国民经济的支柱产业。理论上经济结构对人才的需求应呈正三角形，即社会需要大量具有基本教育水平的熟练工和半熟练工，只需要少量的高级技术人才和管理人才以及处于中间位置的中级技术人才。而现实情况恰恰相反，印度人才的培养呈倒三角形，即高等教育不断扩大与发展，但初等和中等教育极其薄弱。把教育发展的重点放在高等教育上，造成整个教育结构的失衡发展，导致了大学毕业生失业率居高不下等不良影响。

（四）与失业问题密切相关的“人才外流”现象严重

由于印度高等教育结构与经济结构的失衡，导致了印度高级专业人才失业现象严重。国内机会少、条件差，加之种族和宗教歧视等多方面的社会原因，许多高端人才很难在本国找到施展拳脚的空间与舞台，人力资源无法得到充分利用。而发达国家在很多领域却能为这些人才提供合适的工作机会，加之种种诱人的条件，如可观的薪水、优越的福利、良好的工作和生活环境、尖端的研究设备等，促使印度许多科学家、工程师等训练有素的专门人才离开本国，大量流向美、英等发达国家。这种人力资本的“外流”让印度蒙受了巨大的损失。大量的人才外流带来的不仅是短期的智力资源损失，更是危害到了国家整体的未来发展。

（五）弱势群体教育差距显著

虽然印度非常重视教育公平，采取了多种措施增加弱势群体受教育的机会，但是由于积重难返，弱势群体教育差距至今仍然十分显著。

此外，印度政府虽然为增加弱势群体学生接受高等教育的机会做出了巨大努力，弱势群体生源所占比例不断提高，但是就整体而言，弱势群体生源所占比例仍较低：2016—2017年印度高校毛入学率为25.2%，其中表列种姓学生占21.1%，表列部落学生只有15.4%。城乡与群体间高等教育毛入学率也存在较大差距，2009—2010年印度高等教育毛入学率全国平均达到了18.0%，其中城镇平均为28.4%，农村平均为13.3%，而其他落后阶层学生为16.6%，表列种姓学生11.6%，表列部落学生仅为11.4%。[①]

第二节　印度教育治理的问题分析

印度教育的现状为教育治理指明了重点和方向，在教育治理方面印度从未停止探索的脚步，也形成了特色鲜明的教育治理体系，但是在实践中仍然遇到了很多挑战，目前的治理体系尚不够完善。

一、治理水平不均衡，地区之间差距大

印度目前已经建立了门类较为齐全的教育体系，但各级各类教育发展极不平衡。从治理角度而言，很明显呈现出高度重视高等教育而相对疏忽基础教育，轻职业教育而重普通教育的情况。

就高等教育和基础教育比较而言，高等教育的内部外部治理结构均比较完善。从外部治理结构来说，主要依靠中央及邦政府，二者合作管理高等教育事务。《宪法》的规定使得中央在高等教育治理方面有着最高权力，可以说是高等教育治理的权力中心；各邦对于高等教育的管理则更针对教育发展的具体事宜，是治理的绝对主体。另外，在促进高校发展建设方面，地方各级政府也拥有一定话语权。内部治理方面，印度的大学内部设立一系列权力

① Current attendance rates in educational institutions by social groups 2009-2010 [EB/OL]. [2019-06-02]. https:// www. brif. in/brit 2/statistics-documents/.

机构，部分权力机构同时也是管理和执行部门，自治情况比较稳定。而在基础教育方面，治理行动主要由地方开展，社区是基础教育治理的主要机构和部门，虽然权职分配较为细致，但从成效来看，基础教育的发展远落后于高等教育，造成这一问题的原因是多方面的，比如制定的目标不切实际，国家实力不足等，但是，国家治理重点的差异也是重要原因之一。基础教育治理分权至地方，由于地方各邦，各邦内的各地区发展水平差异也很大，其治理的效果也就差强人意。

印度中央政府在中小学教育管理上长期采取放任政策，主要由一级行政区（邦和中央直辖区，现有36个）自主管理。仅就普及义务教育而言，由于各邦情况不同，有些地区教育发展得较快，有些地区发展得极慢。据印度人力资源开发部2008—2009年度报告，截至2006—2007年，印度高级小学阶段（6—8年级）辍学率为零的一级行政区只有8个，而辍学率超过50%的一级行政区有11个，其中，阿萨姆邦和比哈尔邦竟然超过了70%。①

以喀拉拉邦为例，喀拉拉邦以其引人注瞩目的教育成就成为印度教育的成功典范，在国际上也以其高度发展的公民组织而著称。喀拉拉邦已全面实现了初等教育普及，几乎全民识字，男女入学机会均等，研究者冠之以“喀拉拉邦模式”。喀拉拉邦的“人民分权计划运动”涵盖了包括教育在内的多方面的发展计划，并强调在该多层计划体制内社区参与的重要性。该邦在教育分权治理上也做了很多努力：在第九个“五年计划”（1997—2002）中，邦政府对地区发展计划的财政拨款从5%提高到了40%；在教育事务方面，要求各层级的村务委员会根据邦政府于1994年颁布的《喀拉拉邦村务委员会法令》所赋予的权力展开工作。②值得指出的是，即使是喀拉拉邦这样的教育典范依然在某些方面也存在问题，如邦层面的计划者过高估计了地方行政管理者与社区成员的能力，缺乏有效的治理监控系统等。

---

① 安双宏．印度教育发展的经验与教训[J]．教育研究，2012(7)：130-133.

② 莫昆丹·M. V，马克·贝磊. 印度喀拉拉邦的教育分权计划：理想与现实[J]. 教育研究，2005（3）：63-71.

二、权力分配不尽合理，治理效率受到影响

印度的政治制度是带有中央集权制特点的联邦制，实行的是议会民主制、多党制及议会选举制。教育领域中分权化治理主要表现为中央与地方合作，其他各方力量参与治理全过程。有关教育的《宪法》条款赋予中央的领导作用是督促性的而非强制性的。教育主要是邦的一种职责，同时中央要主动督促。

但是，从目前的分权情况来看，这样的体制常常造成不同党派执政的中央与地方"明争暗斗"，中央政府的教育规划和改革政策难以在全国范围内顺利推行，这制约印度教育政策的实施和教育的发展。①《宪法》1976年修正案赋予了中央政府更大的管理教育权限。但实际上，由于传统的影响和多党制特点，地方政府才是本地区教育管理的主力。从理论上来说，中央与地方合作管理的体制有利于调动各方办教育的积极性和主动性，避免中央集权制或者地方分权制造成的种种弊端；但是，由于印度政党政治的弊端和社会各种复杂因素的制约，中央和地方政府在管理教育过程中的合作并不顺利，造成教育管理政出多门、条块分割、难以有效进行全国性改革的局面。②这一点集中体现在高等教育领域，目前的管理体制较为死板，由于高等教育的扩大，各层管理系统均出现了新问题，一时间难以使学校规模和整个高等教育体系协调，易造成管理失控，常常会出现规划、监督及协调之间的相互干扰，形成多重管理的局面，甚至在国家级高等教育分支机构中也有此问题。邦一级的情况则更加复杂，邦政府对邦立高等学校的控制是通过邦的高等教育分支机构进行的，需要设立邦与国家一致的机构，最好能建立在人力资源开发部之内，然而目前为止这种机构仍未建立，这一问题并未得到很好地解决。③

印度教育治理的权力分配问题更多体现在基础教育中。在这一方面，中

---

① 安双宏. 印度教育60年发展的成就与问题评析——基于教育政策的视角[J]. 比较教育研究，2011（6）：66-70.

② 安双宏. 印度政府对高等教育的管理[J]. 比较教育研究，2006，27（8）：35-38.

③ 董晴. 论印度教育[M]. 长春：吉林教育出版社，2012：80.

央和邦政府之间的义务分配是不清楚的。[①]比如，《儿童免费义务教育权利法》（2009）使基础教育成为一项基本权利，但事实上无论是财政还是制度架构上都没有实现这一承诺；此外，并非每一个邦都为免费义务教育的实施提供地方负责官员，有的邦如哈里亚纳邦有邦一级的免费义务教育官员，一些邦如拉贾斯坦邦任命了县级负责官员，但大多数邦并未采取任何行动。从目前多层管理——国家、邦、县、乡级行政单位的现状来看，虽然根据《宪法》修正案第73、74条规定，县是一个独立的行政单位，但是事实上《宪法》也规定了县有义务承认各个县、乡及村一级的潘查亚特制度，向三级潘查亚特移交权力同时也是《宪法》规定的义务。这一地方管理制度在教育管理中也出现了一些问题，如潘查亚特领导者与教师之间关系紧张化，其中一方面原因在于负责管理地方教育的潘查亚特领导者并不一定如教师一样受过良好教育；潘查亚特领导者与一向享有权威和特权的邦或县级政府之间关系趋于紧张；各个参与治理的社会团体之间关系不乐观，因为潘查亚特中的代表席位使得一些目前没有权力的团体获得了实质权威；此外，还与邦议会立法机构代表之间关系紧张，其权力有可能超过邦甚至是国家领导人，从而可能掌握参、众两院的选举，这也直接影响了地方教育的管理。

三、治理体系头重脚轻，难以深入

印度的著名学者马尔马・穆克雷达耶将教育治理机制分为四个层次，包括政策、计划、支配和管理。当前印度的实际情况是，不顾各地方教育发展情况的差异和需要，只是简单地把中央的政策传达给地方。还有一些学者表达过另一种担忧，认为这样自上而下的体系使得各项决定将由上至下，而不再是由下至上地计划，有可能会导致一些“半行政中央机构”，如大学拨款委员会、全国教育研究与培训委员会和中央教育咨询理事会等出现过分控制

① Kiran Bhatty. New Education Policy：Addressing institutional concerns[EB/OL].[2018-12-16]. http://www.ideasforindia.in/topics/human-development/new-education-policy-addressing-institutional-concerns.html.

各邦教育行政工作的情况。[①]

对于印度的教育治理来说，一个显著特点即过分重视计划，而其他活动则处于附属地位。在印度，所有的计划工作都是在国家一级进行的，邦、县和地方一级的人员缺乏足够的发言权，更不用说其他治理主体。总的看来，与教育有关的官员在计划和政策制定时对“合作”采取了一种冷漠态度，尽管民主分权意味着要把越来越多的责任和权力交给人民，但现状是在引起公众、社区的兴趣和公众实际参与方面还有很大的空间。此外，在地方机构、部门管理和社会参与治理方面也出现一些问题：比如一些个人和组织开办学校的目的主要是盈利，故不需要也不主动寻求政府的资助，因此也很难对其全面管控；在《宪法》规定的保护条款的背景下，一些由民族领导力量、宗教或其他社会团体设立的机构往往容易产生入学歧视和职工雇佣的问题。不仅如此，理想中依靠分权制度解决的腐败问题依然存在，在教育领域类似于教师私下开课私收学费等日常腐败屡禁不止。[②]

即使是在中央一级，五年计划中的教育政策也存在着不足之处，如以经费为导向一定程度上忽视了人力资源在教育管理中的重要作用，可以说，印度的教育政策还是为了“吃饭而活着”，并不是“为了活着而吃饭”。[③]与此同时也没能在较低的层次上促使人们的合作和个性的发展。除此之外，印度的教育治理计划呈现为“倒金字塔”结构，即把较多的钱花在高等教育上，而随着教育层次的降低，花的钱逐渐减少。其实，在印度这样一个多种族多宗教的国家，教育治理计划应当更加因地制宜，采取自下而上的方式。

---

① 科奇哈．印度的宪法与教育[C]．王蜂，译．赵中建，校//瞿葆奎．教育学文集第24卷：印度、埃及、巴西教育改革．北京：人民教育出版社，1991：192.

② Véron R，Williams G，Corbridge S，et al. Decentralized Corruption or Corrupt Decentralization? Community Monitoring of Poverty-Alleviation Schemes in Eastern India[J]. World Development，2006，34（11）：1922-1941.

③ 夏尔马．五年计划中的教育[C]．李亚玲，译．赵中建，校//瞿葆奎．教育学文集第24卷：印度、埃及、巴西教育改革．北京：人民教育出版社，1991：194-213.

四、教育督导的落实不足，检查监督机制不够完善

教育治理过程中对学校的视察和监督是必不可少的关键环节，视察和监督是为了使某一学校得到整体改善并实现全方位发展而对学校行政和学术方面进行检查管理。教育督导是印度中央及各邦政府教育行政部门的一项重要职责，以此评估教育制度是否适应社会变化，以及是否达到正确的教育目标，符合相应的标准。除此之外，印度的全国性教育咨询委员会也在教育督导系统中发挥重要作用。印度的教育督导系统在落实过程中出现了一些问题，也没有形成完善的学校监督检查机制，对此体现最明显的是基础教育领域。

基础教育的视察监督主要依靠基层政府组织，即除中央政府以外的各邦政府、县政府和地方机构。多数邦都做出相关规定，制定标准条款，要求检查人员每年对学校进行检查。一部分地方政府还会规定每个月固定天数的视察监督任务，还有少数地方政府要求指定的工作人员必须每年对每个学校进行至少一至两次非正式巡查。值得注意的是，相对初中和高中来说，印度地方政府对小学的检查更为频繁。例如，北方邦一年只有26%的高中会被检查，而小学被检查的比例达到94%；同样，喀拉拉邦70%的小学会被检查，而接受检查的中学只有10%。

尽管政府希望检查人员能公正地检查所有学校，但必须承认的是在实际工作中所检查学校的数量与政府预期之间存在着很大差距：在实际检查与监督过程中，只有很少地方政府实现了规定的任务量，有些非正式检查为了公务或是收集学校信息甚至会支付学校一些费用。一个完整的年度检查只会在一些小规模学校较为深入贯彻，偏远地区的很多学校经常多年难以得到检查。从检查和监督的时间来看，大多数邦政府并不会规定检查和监督的时间，邦内很多学校一年都无法接受一次检查，即使接受检查，检查时间一般只有2—3小时或半天。从时间分配来看，县一级的工作人员视察时间更短。相对而言，检查人员将更多的时间花费在非学术和管理方面，例如，旅游、出席会议、接待客人、诉讼案件、办公室工作、教材的分配、午餐、选举责任、户口工作和其他类似非正式教育或成人教育的发展活动等。检查人员还会面临着其他问题和限制因素，如几乎所有地方政府都不会为检查人员提供

交通工具，使检查的难度增加，大量时间浪费在路上，而且有些地方没有公共交通，尤其是乡村和山区学校。目前的检查监督还缺乏相应的奖惩措施，尤其是缺乏激励制度，无法激起检查人员的工作热情；检查后的回馈和后续工作没有及时开展，导致被查学校校长和老师无法严肃对待检查和其后续工作。

根据印度学者的相关调查，[①]监管人员不足也是很严重的问题。从人员构成来看，各县进一步划分为行政区域，区内的学校又被组织成群。学校监督通常由“区教育官员”和“群资源协调者”负责。调查发现，很多地区这两个岗位都缺乏工作人员，例如，19%的调查案例中“县教育官员”这一地区内最高教育官员的职位都是空缺的。此外，教育管理部门的人员流动率很高（平均任期只有一年），在过渡期间又会造成大批职位空缺，而在区内，缺乏监督人员的情况更为严重。这样的人员配备缺口是区域内监察缺失的最重要原因，因为没有监管人员的地区更不易被抽查到。

五、教育公平问题持续存在，对弱势群体的治理还需强化

保证弱势群体学生接受教育的机会，促进社会公平正义一直是印度的教育政策取向。为了解决21世纪以来依然存在的教育公平问题，印度继续坚持教育公平原则，政策和资源不断向女童、表列种姓和表列部落儿童、少数民族儿童、其他处境不利儿童倾斜，力图扩大上述弱势群体的受教育机会，提高其学习成绩，实现更大程度的教育公平。但由于印度教育问题积重难返，弱势群体教育差距至今仍然十分显著。比如高等教育领域，尽管弱势群体生源所占比例不断提高，但就整体而言，弱势群体生源所占比例仍较低：2009—2010年印度高校全部在校生为2 074万人，其中表列种姓学生占11.8%，表列部落学生占5.2%。城乡与群体间高等教育毛入学率也存在较大差距，2007—2008年印度高等教育毛入学率全国平均达到了17.2%，其中城镇平均为30%，农村平均为11.1%，印度教群体达到32.9%，而其他落后阶

① Muralidharan K，Das J，Holla A，et al. The fiscal cost of weak governance: Evidence from teacher absence in India [J]. Journal of Public Economics，2017，145：116-135.

层学生为14.8%，表列种姓学生11.6%，表列部落学生仅为7.7%。[①]

印度是一个多宗教、多语言、多种族的国家，这些因素交织在一起衍生了其复杂的民族问题。印度十分重视对少数民族教育的管理和引导，将其视为维系社会公平、缓和民族矛盾的重要工具。在弱势群体教育治理中，少数民族教育治理问题显得尤其复杂而艰巨，这种中央宏观调控、地方自主发展的模式，确实使得各邦可以根据自身的实际情况对少数民族教育进行自主管理，但是这种模式同样也产生了很多问题。

例如，因为繁杂的机构设置，中央和地方之间没有形成良好的协调机制，地方情况复杂，中央对地方的约束力不强，再加上政府机构规划和管理不力，缺乏监管机制，内部人员出现贪污腐败、办事不力等现象，使得中央颁布的法律、制定的政策很难在地方得到有效落实。不仅如此，在某些教育公平问题治理的政策实施中，由于执行和管理环节存在问题，政策实施效果受到影响，高等教育“积极反歧视”政策中的“学生宿舍项目”就是一个例子。本项目特别针对女性弱势群体学生，要求在为男性弱势群体学生提供援助的同时，为女性学生提供更多的更有保障的援助，该项目对直接受益学生，尤其是农村学生将产生明显的积极作用。但是，项目在执行过程中，由于监管不利和项目本身细则不清等原因，执行效果与项目目标出现了不同程度的偏差，在一些地区，项目未能使弱势群体学生受益，有的地区甚至出现了将项目宿舍改做他用和用项目宿舍牟利的问题。[②]

在民族教育问题治理中，突出问题在于对表列部落的双边管理制度，即部落事务部和人力资源开发部共同管理部落教育。尽管在分工上比较明确，部落事务部负责部落生活与文化事务，管理地方一级的教育发展工作；而人力资源开发部作为全国教育发展规划的权力机构，负责制定与课程、教材、教师招聘、调动政策等相关的实施细则和指导意见，但是这两个部门之间缺少协作和互补性，实际管理效果不尽如人意。例如学校校历的制定，印度寒

---

① NUEPA. Elementary Education in India Progress towards UEE [EB/OL]. [2009-01-21]. http://www.nuepa.org.

② 盛荔. 印度独立后高等教育“反歧视”政策研究[D]. 西南大学，2016：159.

暑假和节假日是为了满足非部落地区正规学校的需要而确定的，因此很少顾及部落地区和部落民族的节日；再如教师选用，由于缺乏对部落问题的敏锐性，不了解部落社会的现实，再加上在部落地区错误地选拔和任用教师，结果导致部落学校的教学质量跟不上，教师缺勤率也高于非部落地区。[①]这样的双边管理体制不可避免地影响了部落教育的发展。

总的来说，如何更好地优化弱势群体教育治理，有效实现教育公平是摆在印度政府面前的一个难题，需要继续在实践中不断探索并加以改进。

第三节　印度教育治理的改进与走向

针对印度教育出现的种种问题，印度政府也出台了种种措施，如加速普及初等教育、在教育公平问题上加大保障措施、重点提升高等教育质量等。在教育管理方面，印度也将继续坚持教育分权路线，构建一个真正向各治理主体开放，并能够实现个体、社会和行政机构多向互动的教育治理体系。目前印度教育治理改革的新动态和未来走向可以从以下三个文本中得到阐释。

一、印度第十二个“五年计划”（2012—2017）

自独立以来，印度政府每5年制定一次“国家社会发展总体规划”，简称“五年计划”，1951年至今，印度中央和各邦共制定了十二个“五年计划”，每一个规划既是对前一个计划期间发展成就的总结，也是对下一个“五年计划”发展目标的预期。需要指出的是，印度计划从2017年开始推出十五年发展远景规划，同时废止“五年计划”安排，也就是说2017年是印度第12个“五年计划”的最后一年，也是印度实施“五年计划”的最后一年，为保持印度作为世界经济增长引擎的地位，从2017年开始，印度计划以更长远眼光考虑国家发展方向。作为目前最近、也可能是最后一个“五年计划”，印度“十二五”计划对于教育作了全面的规划和安排，教育治理也是

① 杨洪．印度弱势群体：教育与政策[M]．北京：人民出版社，2011：192.

这五年改革的重要议题。

（一）教育治理的整体思路

改善学校系统的治理要采取以绩效为基础的多种创新举措，如进行社会审计、加强潘查亚特与市政当局的联系、激励和赋权村教育委员会、公开支出报告及多方利益相关者对话等。其中最重要的是赋权当地社区，使其对学校和教师进行更好的监督。当地社区可以获得授权，雇用超过合同规定数量的教师，支付雇用教师的费用并更新社区合同教师的合同，用以在放学后或夏令营期间集中性为学生补习和指导；建立教学定期评估制度和一个更适合学校环境的充满活力的教师支持系统；此外，重新改造和定位县初等教育项目和初等教育普及计划中的区资源中心及集群资源中心，以便这些资源中心能够有效提高教师工作绩效，并将其扩展到中等教育中。

尽管努力倾听利益相关者的意见是必要的，但在推动改革方面，必须要明确底线，因此治理改革的总体策略是在强制执行和劝说引导之间取得适当平衡。在最初阶段，改革基本上由中央机构推动，随着系统的改进，改革将逐步转移到教学实践中，其内在驱动力主要来自教师和学校。“十二五”计划中提出了七项具体干预措施。

第一，改善和加强现有机构职能，如邦教育研究与培训委员会、邦教育管理与培训协会、县教育与培训协会的功能。这些组织和机构可以发展、分享课堂教学的最佳实践，支持教师，并有效协调和组织学校一级的资源，扩大所有儿童的学习机会。其中的一个关键目标是确定“高效”和“相对低效”的教师，对于高效教师给予相应的领导职位，而针对低效教师则可以开展指导和专项扶持。

第二，培训县和乡内的教育官员、学校校长和教师领导者，利用电子平台及数据更好地监控和指导学校管理工作，调动社区资源；还要对表现良好的学校进行及时认可和适当激励，可以是经济手段的支持，也可以是精神鼓励，总之建立起一套激励机制。

第三，确保已经建立的国家学校领导力中心充分发挥作用，并在现有机构中建立四个区域教育管理中心。

第四，家长必须更有效地参与教育，因此学校管理委员会和家长教师协会的有效运作至关重要，这是学校发展计划和学校有效运作的核心。还需要特别关注如何使文盲、半文盲或教育程度较低的父母能够在孩子的学习过程中加强与学校的合作。

第五，重点关注社区参与以及它们在支持政府机构监督学校方面的职责，考虑到技术要求，政府可以制定一些简单指标，供社区机构进行监测。

第六，可以评选出模范学校，尤其是在教育落后地区更要使这一举措制度化，最佳教育实践的案例也要建立共享体系，这意味着同一地区的模范学校应当符合最佳教育实践标准，这些学校应成为社区中其他学校的模范，并带头开展各项改革活动。

第七，为国家、邦和地方教育部门的工作人员重新制订指导计划，关注其工作质量和学习成果。教育质量指标还需要列入各级审查会议的议程，包括学生和教师的出勤、学习成果、毕业率、辍学率和教育监督情况等。此外，还要鼓励家长积极参与对学校教育质量的监督。

表 8–2　教育治理中各利益相关者的职能划分

利益相关者	职　能　角　色
教师	课堂教学 与同行合作开发并分享提高学习效果的教学实践 根据需要吸引家长参与,共同改善学生表现
学校行政人员	制定和推动学校的改进战略,注意与邦 / 县的总体方向一致 为学校提供教学指导和行政领导 让学校社区参与到学校管理中,促进学校的改进与发展
县 / 乡学校领导者	向学校提供有针对性的支持,并监督学校 促进学校与邦之间的交流 鼓励校际合作 缓冲社区对改革带来的变化的抵制

续表

利益相关者	职　能　角　色
邦领导者	制定改进的系统战略 创建支持和问责机制以实现目标 将决策权分配至各级组织系统 在各级组织系统上建立领导力

资料来源：Education: How the World's Most Improved Systems Keep Getting better' by Mona Mourshed，Chinezi Chijioke and Michael Barber.

（二）高等教育治理的改革思路

“十二五”计划期间，印度高等教育管理方面改革的侧重点是：促进教育机构的差异化发展；通过权力和责任的下放，给予学校更大的自治权；加大透明度。[①]具体可以从以下几方面进行阐述：

1. 强化中央政府控制下的分权管理

与以往相比，“十二五”计划在财政政策制定上更加强调政府控制下的教育分权。私立高校的一度急速扩张加剧了高等教育领域的混乱现象，暴露出中央政府宏观管理的缺失。因此，政府在“十二五”计划期间强化了中央管理职能。[②]其具体措施并非是从邦政府手中收回管理权，而是利用政策和资金进行调控。中央承诺给邦政府更多高等教育发展经费，但邦政府必须在各邦建立高等教育委员会，它们的职责包括：促进邦内各大学间教育资源的共享，引领学院层面的学术和机构的改革；负责高等教育数据库的建设，开展研究和评估活动，同步邦级政策和国家规划，解决监管不严、管理乏力等现实问题。

2. 学校层面的差异化和自治建设

强化对大学的分类，如分为教学型、研究型和技能型的学校，摆脱强制

① 连进军．从“十一五”规划到“十二五”规划：印度高等教育的问题和未来的发展[C].// 潘懋元．北京：教育科学出版社，2014：152-162.

② 胡茂波，朱梦玫．印度私立高等教育财政政策的改革及借鉴——基于印度“十二五”规划的审视[J]. 清华大学教育研究，2015，36（4）：6-42.

性的学校标准化建设；在管理、监控、拨款等方面有区别地对待不同类型的学校。此外，附属学院也是改革的方向之一，政府要从以下几方面着手：第一，规模较大、声望较好的附属学院将转为独立院校；第二，建立多学院的大学，每个学院作为一个大学分校发挥作用；第三，一些大的纳附大学将被分为可管理的单元；第四，允许学院间合并，以提供多学科教育；第五，革新学院发展委员会，提高管理效率，给予其更多自治权。

3. 促进学术领导力的发展

为了发展高等教育领域的学术领导，将建立“高等教育学术领导力研究院”，以该研究院为中心，在各大学建立“领导力发展学会”，在“十二五”计划期间，至少要建立5个这样的学会。

4. 评估和监督方面

首先建立一个信息中心，提供关于学校和课程的精确而及时的信息，给家长和学生在入学决策过程中提供帮助；建立一个新的学院机制和国家数据库来加强评估和监督机制，涵盖各时间段和各区域的数据；高等教育数据库管理系统可以开展调查，收集数据，为中央、邦和学校制订规划提供帮助，也可以为相关利益者，如国家学术库、规划组织、研究团体、学生和其他学术机构提供数据；建立一个高等教育研究中心网络开展研究活动，以形成高质量政策研究生态系统。

5. 鼓励私营机构办学

鼓励发展新型“公私合作”模式，特别是建立科研和创新学院，尤其是针对那些无法达到标准的公立学院。当然，这些营利性团体办学主要集中于严重短缺的特殊领域，同时要注意监督和质量监控。此外，在一些城市和教育中心，出现通过公私合作模式发展“国家知识群”的现象，把高等教育机构、科研机构和企业组织团结起来，以促进机构间的集群和合作。

二、印度教育愿景2030

目前各部门和机构2030教育规划中最具代表的是2014年印度政策智库制定的《印度学校教育愿景2030》和2013年印度工商协会联合高等教育委员会制定并发布的《印度高等教育愿景2030》，这两个文件都集中分析了印度教育发展趋势，并建构出未来十几年印度教育改革、转型的路径，呈现了印度社会对印度教育2030的愿景，在这两份文件中，尤其是高等教育领域，治理模式的改革都是重中之重。

（一）《印度学校教育愿景2030》

建立强大的学校教育体系是促进印度社会经济发展和提升全球竞争力的基础，《印度学校教育愿景2030》的目标在于将教育体系转变为孩子们都可以共享的高质量教育体系，预计到2030年在校儿童将达到3亿人（2010年是2.5亿人），其中超过一半的孩子将在私立学校学习，而政府的角色将从主要教育提供者转变为规范公立和私立学校的管理者和监督者。在这一体系中，强有力的治理结构是实现教育转型、提升教育质量、最终帮助学生取得优异学习成果的基础。在教育治理上，未来的发展趋势主要体现在以下几方面：

1. 私立学校将成为教育的主要提供者

分析过去10年的入学情况可以看出，公办学校和私立学校的入学人数发生了变化，公办学校的学生入学率以每年2.5%的速度下降，到2030年将只剩下33%的份额。具体来说，到2030年，每年平均新生为110名学生的政府小学将只剩下70人，而中学入学人数将从230人减少到180人，尤其在城市学校更为明显，这会直接带来学校基础设施的闲置浪费。因此政府需要采取创新策略，如公私合作和学校整合以确保有效利用国家的资源。此外，政府还应该更多关注印度教育的质量，就目前而言，政府的作用主要局限于向在公立学校就读的儿童提供教育，而对私立学校儿童的监管却很少，私立学校将成为教育的主要提供者，政府的角色需要从教育提供者转变为一个强大而负责任的监管机构，因此改善和调整问责结构和制度需从现在开始。

2. 强化政府监管职能

随着私人教育的增加，政府必须将职能从提供者转变为监管者，因此政府需要采取各种措施来实现这一目标，包括以下内容：制定学校规章规范；在中央一级建立独立于教育部门的自治监管机构以制定标准并评估学校系统的质量，而对于表现很差的学校和其他联合教育机构（如教师教育机构和学校领导机构等），要求其承担相应的后果并制定针对性指导方针。中央政府同时还要采取以绩效为导向的激励措施，对于各邦的财政预算的分配也应与学生学习成果评定和后续改进情况挂钩。此外，还可以创建一个“邦教育绩效基金”，奖励那些实施大规模学生评估、择优录取和透明教师招聘程序等措施的邦。

3. 数据化监管，信息化治理

印度必须建立健全教育数据系统，收集和发布教育过程中的所有相关数据。作为一个监管者，政府管理着整个学校系统，为了提供高质量的公共和私人服务，数据化监管手段势在必行。使用数据持续改进教育政策，增强邦、县和区各级不同利益相关者通过数据分析采取干预措施的能力，发现找寻区域内教育的潜在问题，并提出适当的解决办法。例如，建立一个全面的教师管理系统可使教育官员监测教师的持续专业发展情况，并帮助确定适当的培训课程。从教育部长到学校教师的利益相关者，都应当有明确的目标，包括结果和绩效评估标准，如学生成绩的数据要与教师、校长、学校和行政层级中的各种利益相关者的绩效挂钩，具体来说学校检查人员可通过学生学习数据来决定被检查学校的次序，在职教师培训项目主任可通过学习情况信息为教师设计情景化的发展计划等。要注意学校、学生和教师管理系统需要无缝整合，用以指导和丰富各个层次的决策。要为社区配置相应设备，使得更多社区可以通过收集使用数据配合学校教育。在未来，随着移动设备基础设施的改善，可以实现通过生物特征扫描、基于定位的数据、视频和教学活动的静态图像来追踪指标。无缝集成、实时收集和分析各级数据将有助于持续监测教育系统的健康状况。

（二）《印度高等教育愿景2030》

2014年，印度人口达12.48亿；预计2030年，印度人口将达到15亿，平均年龄为32岁，比世界上许多国家的人口平均年龄要低10岁。届时，印度将成为全球提供劳动力最多的国家，劳动年龄人口将超过9.5亿。[①]毫无疑问，无论是印度学者还是国际学者都对印度的发展前景给予了肯定，巨大的人口红利将支撑其在2030年成为世界上第三大经济体。为实现这一宏大的

① 王文礼.《印度高等教育：2030年的愿景》述评[J]. 大学（研究版），2015（10）：53-60.

发展目标，印度将目光锁定在高等教育，试图通过发展高质量的高等教育为印度经济的发展提供足够的智力支持。总体来看，印度高等教育取得了巨大的成就，但是还存在质量不高、设施落后、接纳能力有限等问题。在此背景下，印度工商协会联合高等教育委员会于2013年制定并发布了《印度高等教育愿景2030》，设计未来高等教育建设发展的路径，致力于将印度建设成为全球高等教育领导者之一。治理模式的改革正是这一文件的讨论重点。

21世纪以来，印度高等教育治理模式的改革呈现出4个明显的发展趋势。[①]

1. 政府在高等教育治理中的作用减弱

近些年，印度政府逐渐退出公立高等教育机构的直接管理，将治理权移交给由学者、校友和外部成员构成的董事会。政府主要对高等教育进行间接的控制，例如建立与绩效相联系的资助和质量认可等机制。过去对印度高等教育进行监管的多个机构存在着互相冲突和重叠现象，取而代之的是一个独立的监管机构，其监管的重点从进入高等教育领域的门槛，让位于进入高等教育领域的高标准认证。高校的自律和自评将成为常态。未来，政府资助高等教育的模式将从资助机构转向资助人（包括教师、学生和研究人员）。

2. 从监督输入到监督输出

传统上，印度高等教育的监管机构重点在于监督输入，即对大学的评价基于校园建筑物的面积、图书馆的书籍数量、购买电脑的费用等，未来将转向基于学生的学习结果、他们的就业准备或在标准化考试中的表现等因素。

3. 强制认证

印度高等教育监管机构由监督输入向监督输出转向，伴随着一个更加复杂的质量保障体系的引入，主要包括建立国家高等教育认证机构和其他一些主要负责专门领域的认证机构。如此一来，印度高等教育质量保障体系不仅依赖高等教育机构内部的自身评价，还依赖外部的同行和质量评级机构的评估。

---

① 王文礼.《印度高等教育：2030年的愿景》述评[J].大学（研究版），2015（10）：53-60.

4. 加强推动国际化

一方面，外国高等教育提供者也被给予与印度高校相同的待遇，接受相同的认证标准。另外，印度计划通过一系列高等教育治理改革，用近20年的时间，努力使高等教育成为一个具有全球竞争力的教育体系，印度高校领导是在一个公开、竞争的程序中产生的，多达100所大学的领导是国际学者和管理者，未来这一趋势还会加强。

对于如何具体化这些目标，方案也做了详尽的规划，如简化监管框架，让高校逐步走向自治和自我管理，并引入强制性认证，建立一个国家认证机构和几个较小的、独立的、重点关注某一领域的认证机构，允许这些机构基于一个共同约定的、公开的评价标准评估所有的高等教育机构，并将同行评价纳入评价框架；引入国际认证机构；推动高等教育机构的关键财务信息和运营信息透明化，并建立所有信息的集中数据库等。

三、《国家教育政策》（2016）草案

印度人力资源开发部的一项重要任务就是制定及修订《国家教育政策》，独立至今影响印度教育发展的两个政策分别是1968年的首个《国家教育政策》和1986年《国家教育政策》及1992年的修订版，目前第三个全国性教育政策《国家教育政策》（2016）（以下简称“草案”）正在制定中，尽管最终定稿还未发布，但从已制定的草案中也可以窥见印度在教育领域的改革动向，教育治理必然是草案制定委员会（以下简称“委员会”）关注的一个重要议题。

（一）学校教育治理：加强学校自治

普遍来看，印度的学校内部领导能力被淡化了，依赖于大量的机构和官员的管理和指导，尤其是课程设置，教师的任命、部署和调动，考试安排和实施等各方面都由上级集中决定，忽视了学校领导者的个人领导能力。研究发现，整体表现较好的学校，其优异表现的主要原因在于内部领导者，或是校长。这些领导人通常会激励教师、学生，寻求家长和社区的合作以提高学校学术水平，加强基础设施建设。因此，学校需要适当构建自治体系。为此，学校应根据公认的标准对学校进行评估以衡量学校的质量，并帮助提升

学校管理人员、校长和教师的专业能力，从而促进自主性、自我评估和绩效的提高。委员会还认识到，让教师、家长和社区参与学校的管理是很重要的。公办学校的校长和教师有必要定期与家长和社区进行互动，并确保他们积极深入参与到学校的各种活动中。

校长是教育治理中极为重要的一个角色，但根据2013—2014年的数据，70%的印度小学没有正规的校长，中学情况稍微乐观一些，因此委员会建议首先应当将所有校长职位的空缺在短时间内补齐。其次就是要规范校长和领导的选拔，只根据资历晋升是不可取的，委员会建议由至少有5年教学经验的教师组成一个候选小组，择优录取，被选中的候选人应接受2个月的领导和学校管理培训。委员会建议为他们提供至少7年的终身职位，并提高现有工资，赋予其更大的行政权力和纪律处分权力。中央政府最新的学校领导发展项目中，中央和各邦都会设立领导学院，进行教育管理培训，主要内容包括：课程和材料开发、领导能力建设、网络和制度建设等，委员会希望该方案能得到有效的实施，以形成一种权力下放的新型管理文化。

（二）高等教育治理：对《全国高等教育促进与管理法案》的讨论

在高等教育治理方面，除了上文提到的相关内容，“草案”还集中讨论了是否制定和实施《全国高等教育促进与管理法案》。

根据《宪法》规定，中央政府有权立法协调和确定高等教育、科研机构和科学技术机构的标准，各邦政府也制定了相应法案建立大学，包括大学拨款委员会之类的各种全国性组织也都是通过立法建立起来的。但是，值得注意的是，印度目前还没有一部关于高等教育机构管理和监督的全国性法律。草案制定委员会认为，在印度这样一个多样性国家中，中央监管机构控制着整个监管职能不可能也不现实，各邦政府和大学应在其管辖范围内对高等教育机构的监管发挥关键作用，因此还建议对所有新大学和学院的认证都要严格按照《全国高等教育促进与管理法案》，由每个邦自治的高等教育委员会来完成；该委员会还将制定一个向大学提供财政援助的框架，根据该框架监督各邦政府的资金发放情况；还要与认证机构协商定期监测大学和学院的学术水平。

印度现有的教育部门是在不同的时间建立的，成立之时就有了各自的任务，有些是通过议会法案建立的，有些则是通过行政命令建立的，随着时间的推移和高等教育部门的新发展，有必要重新审视其任务，更新现有法律，并使之与当前和未来的需求更加相关。

拟议的高等教育管理法案将提供法律框架，在国家授权的基础上管理高等教育部门。据设想，上述拟议的新法案将为国家高等教育机构的设立制定方向和融资框架，并为独立的评测和认证机构制定法律框架。

（三）教育治理信息化：强化信息与通信技术在教育治理中的应用

目前许多邦都在使用各种基于信息与通信技术（information and communications technology, 简称ICT）技术的应用程序监控学校和学生的成绩，如自2005年以来德里邦成功应用ICT进行教育综合管理。德里邦教育治理机构首先映射使用地理信息系统和卫星图像,并根据距离、基础设施、教师资源等对学校进行分级；在线学生管理系统能够完成学生入学的注册、考试成绩统计、学业表现分析以及解决证件的问题，包括学校毕业证书和健康记录等。这些工具使用的直接结果是增加了入学率，降低了辍学率，教师的有效工作时间也有所增加，在德里的1 000多所学校里，由于录取和其他管理工作，教师们需要做很多非教学事务，ICT的广泛应用使教师得以“减负”，除了德里邦，还有一些邦也进行了类似的探索。

委员会建议通过应用ICT，有效实现对教师缺勤、教师短缺和基础设施缺口等重大问题的额外关注，有关的分析报告将有助于提醒当地管理部门注意到那些表现低于平均水平的学校并及时采取补救措施，而其中表现良好的学校则可以作为示范学校扩大影响。这样的报告系统可以成为改善学校管理的有力工具。

第九章 印度教育治理的经验及启示

印度教育治理的发展和改革是全球各国教育治理改革浪潮中的一股重要力量。尽管印度教育治理存在很多问题，但这场一直在路上的改革是印度政府寻求治理教育能力现代化的重要表现，也是其实现国家现代化的重要途径，为我国教育治理改革提供了经验，带来了启示。

第一节 印度教育治理的特色

独立以来的印度经济发展面临着多重阻碍，种姓制度、宗教、民族和人口等问题制约着它的发展，面对重压，印度政府以教育为良药促进经济的转型跨越，力求以“教育红利”为经济发展提供新动力，70余年的教育治理之路具有鲜明特色。

一、政府高度重视教育，以“五年计划”为政策主线

自独立后，印度政府痛感教育的落后，深切认识到教育在国家建设中的重要性，特别重视教育。1950年《宪法》就提出要在10年内普及8年初等义务教育的目标，并在第一个五年计划期间将国家教育经费的56%用于初等教育。此后各届政府都把教育发展视为国家发展的重要一环，始终保持着对教育的高投入。20世纪八九十年代，印度对教育的投入超过GDP的3%，在21世纪初更是超过GDP的4%。2007年，时任总理辛格在印度独立日的演讲中指出，本届政府将国内生产总值的6%用于教育事业，其中一半将用于中小学教育；公共教育经费自2004年到2007年已经增加了3倍，同时要求各邦赋予教育优先权，必须把教育放在优先发展的地位。另外，印度政府对教育事业的重视可以从其“五年计划”中窥知一二。自1951年起，政府制定

的每一个“五年计划”，教育发展都是主要内容之一。第一个“五年计划”（1951—1956）文本共有39章，其中第33章题目为“教育”，总计130款内容，十分详细。之后的各个“五年计划”基本上都采取了类似的表述方式，给予教育极为充分的论述，把教育置于崇高的地位。印度的第一个“五年计划”中关于教育的总论指出，在一个国家有计划的发展领域中，教育是首要的领域。第十一个“五年计划”（2007—2012）再次对教育在国家发展中的地位给予了特别的强调，把教育作为最优先发展的领域，作为国家快速和全面发展的核心手段。应该说，当今印度政府已经把教育提到了前所未有的高度。印度这种以“五年计划”为发展周期的方式对教育给予了相当程度的重视，规范了国家一段时期内教育发展的方向、目的、重点、任务，对全国各地的教育管理和发展起到了指导和推动作用。

二、分权治理结构稳定，层级清晰

教育分权是中央教育部在地方建立管理单位并由当地教育管理者实施教育资源配置和事务管理的过程，即将教育决策权下放到地方层面，而中央的作用主要限于宏观调控和信息收集、交换。①印度教育治理的最显著特点之一在于教育分权化，作为一种提高教育系统运行管理效率的有效手段，印度政府将教育管理的权力逐级下放，各级教育管理机构均有明确细致的分工，以此提高民主行政的实效性。教育分权化之前，印度各级各类教育的管理主要依靠中央教育部门的统一安排和部署，作为一项公共服务，教育集权管理不可避免地需要面对政府低效、宏观调控稳定性不足、地方偏好难以兼顾等问题，教育职能如何分权至各级行政机构及其他参与机构是印度政府长期致力解决的问题。数十年的探索使印度形成了较为稳定的自上而下的教育分权结构，以此统筹整个治理格局，各邦教育部、各县级教育行政部门、众多“半行政机构”和社会力量成为印度教育治理的中流砥柱，中央发挥宏观调控作用，具体教育事务由以上这些部门配合补充行使，最终服务学校及受教育者。伴随中央权力的下放产生的直接效应是地方治理能力的提高。关于

① UNESCO. Educational governance at local levels: policy paper & evaluation Guidelines [M]. Paris, 2007.

这一点，需要特别提到的是印度的基层教育自治体系，尤其在基础教育管理中，通过地方自治建立起的“草根阶级”民主治理在当前印度教育治理宏图中占据十分重要的位置，[①]最突出的就是如前所述的潘查亚特机构。

三、多元主体参与治理，凝聚合力，互为补充

“治理”并非一个新的术语，这一脱胎于政治学、管理学的概念更可以从操作层面理解为一种概念化工具，通过政府、社会、市场、民间等多种力量的结合，形成双向甚至多维的伙伴关系，反思并破解各领域的现实难题，可以说，“主体多元”正是这一概念的本质体现。伴随着现代学校建立、现代政府职能转向以及公共教育制度发展而出现的教育公共服务，毫无疑问具备政府公共服务的属性。因此，从这个意义上来看，教育治理正是对21世纪教育公共服务日趋复杂、多元和碎片化的有力回应。印度教育治理也遵循此路径，除社区参与这一最主要形式之外还有多种形式，如公私双方合作，印度很多私立学校（主要是基础教育）都是由某些委员会、大企业甚至个人出资举办，以企业最为常见，私营合作伙伴的加入为印度基础教育治理注入一股新鲜血液。此外，还有一些智库团队和非政府组织也积极建言献策并协助政府进行教育管理，其中典型的如印度社区教育研究中心就是印度教育领域享誉盛名的智库团队；再如非政府组织布拉罕协会依靠与政府、企业和社区的合作成功开展了多个学前教育项目，极大地补充了政府对贫困和弱势儿童提供的基本教育服务。尽管在多次改革中印度政府依然在教育供给和决策方面占据绝对优势，但就目前来看，越来越多的管理主体和利益相关者参与到教育治理过程中，并发挥着积极的作用，这也是未来印度教育治理的趋势。

四、突出重点，补齐短板

尽管印度教育发展并不均衡，但必须承认的是印度教育仍旧取得了较大的成效，体现最为明显的就是高等教育。自1947年独立以来的70多年里，

---

① R S Tyagi . Decentralized Management of Elementary Education and Role of Local Self-Governance Institutions[R]. National University of Educational Planning and Administration, 2016：1-42.

印度一直将高等教育作为教育发展的重心，并且希望能够通过发展高等教育增强其人才的国际竞争力，高等教育体系从无到有、从小到大，到2015年已经形成“高等院校数量世界第一（2万多所）和在校生人数世界第三（1 120多万人）”的庞大规模[①]，并为国家培养出了仅次于美国的世界第二大能够熟练使用英语的专门人才队伍和长期位列世界前三名的工程技术人员队伍。[②]印度高等教育的治理主要依靠外部的中央及邦政府，权力中心和治理主体共同发力并配合高校内部自治形成完整的治理结构，一批优秀的高校也受益于此，如印度理工学院，仅用40年左右的时间就发展成为世界著名高校，在印度的软件业发展及人才培养上发挥了不可替代的作用。

重点发展之外，印度还十分重视教育薄弱领域的治理，致力推进教育公平，注重优化对女子教育、少数民族教育等的治理，努力让“短板”不再“短”下去。由于存在严重的教育不平等现象，印度独立以来一直非常重视教育公平问题的解决，为此不断出台相关的法律，不遗余力地推进教育公平进程。除了法律法规对教育公平加以保障外，印度还出台了诸多战略计划，其中首要的是财政资助。印度政府在总体财力有限的条件下，通过各种发展计划和项目，在保证教育的可获得性、扩大教育覆盖面、减少因出身带来的教育不公等方面做出了卓有成效的努力。如在义务教育阶段实行免费教育，免费发放校服、午餐及教科书，推出各种奖助学金计划，尽量为弱势群体提供良好的学习环境，使他们能获得平等的受教育机会。

第二节　印度教育治理的经验

印度的教育系统规模庞大而复杂，政府的高度重视推动了其教育的发展，尤其是独立之后印度不断在教育治理领域制定一系列积极的政策，重视治理体系和治理能力建设，印度教育的发展和进步也受益于此。教育水平的

① 杨汉清 . 比较教育学（第三版）[M]. 北京：人民教育出版社，2015：118.
② 安双宏，程懿 . 当前印度高等教育质量评析[J]. 江苏高教，2012（2）：153-155.

提升也为印度国家的发展做出了重要贡献。

一、教育治理法治化，以法为纲，依律治教

从国家治理角度出发，法治是治理的必然要求和基本要素，贯串于整个治理过程，教育治理法治化是指以法治的思维和方式对教育范畴内的所有事务进行行政决策并采取相应管理措施。印度宏观教育治理格局依靠法律统摄，宪法、专门法及司法实践三者结合形成完整的法律体系，为各级各类教育事务的治理提供了法律依据，奠定了治理基础。印度如何依法依律治教，从具体法律规定中可以窥其究竟。如上文提到的《儿童免费义务教育权利法》，旨在保证印度所有6—14岁儿童接受义务教育。这项法律在印度独立60多年后通过，被儿童权利运动人士和教育家称赞为印度教育及法律史上的里程碑，[①]《儿童免费义务教育权利法》尤其保障弱势和贫困儿童的受教育权，将私立学校25%的名额留给贫困儿童，在具体管理方面终止了原先公务员自由裁量的权力，所有儿童的筛选将严格按照其经济和种姓情况进行，要求调查所有社区，确定需要接受教育的儿童，并提供基础教育设施。世界银行印度教育专家山姆·卡尔森表示："《儿童免费义务教育权利法》是世界上第一个明确规定招生、出勤及学业完成任务均属政府职责的法律，而包括美国在内的其他国家这一系列事务还是由父母承担。"[②]除联邦政府制定的法律之外，印度对教育治理立法的日趋完善还体现在各邦依据《宪法》要求不断通过教育法令来规定教育行政部门、学校及家长的职权以确保普及初等教育目标的实现等方面。如1958年《喀拉拉邦教育法》，对学校设立和维护、学生出勤及假期、教师管理、教育咨询委员会、地方教育行政部门的人员选配和管理等都做出详尽的规定。为喀拉拉邦提供了治理框架。该法案中一个值得注意的条款是实施免费义务初等教育，这一规定的实施直接使喀拉拉邦在印度各邦中脱颖而出，1991年率先实现全民识字。

---

① Dean Nelson. India makes education compulsory and free under landmark law - Telegraph [EB/OL]. [2009-07-21]. http://www. telegraph. co. uk/news/worldnews/asia/india/5879160/India-makes-education-compulsory-and-free-under-landmark-law. html.

② Right To Education [EB/OL]. [2018-06-21]. http://righttoeducation. in/know-your-rte/about.

二、强调社会参与治理并加强政府主导

治理理论主张公共事务的管理主体多元化，认为治理主体不仅应包括政府部门，还应当包括非政府部门和社会行动者，强调社会参与治理，重视社会自组织能力的发展，通过参与、协商和谈判进行治理。多元治理重新强调了国家和政府在治理中的作用，强调政治权威介入自治组织、网络和治理体的组织过程，政治权威提供治理所需的基本规则，确保不同的治理机制和规制的兼容性或连贯性，充当政策共同体中对话的主要组织者等。

印度教育治理充分体现了其社会参与系统的力量，社区、专业人员、政策研究机构、个体力量、教育中介机构、工商业界等多种社会组织和个人广泛参与治理过程，并影响教育政策的制定。此外，还需要指出的是，社会参与系统的逐步完善还是国家和政府培育的结果，比如社区基层组织参与治理是出于政府的决策和法律的规定，政府决定了各级各类教育的治理和改革方向，设定了相应的标准和参数，教育质量保障体系的建设、市场机制的深入发展、信息公开制度的建设等，都与政府的宏观指导分不开。总体来说，在教育治理中，印度政府借助社会多元力量培育、帮助成立了新型组织，并鼓励社会力量参与教育治理全过程，构建了新型的治理框架，增强了对教育全局发展的掌舵能力。

三、兼顾多领域治理，形成特色

除了各级各类教育的常态治理，印度教育治理注意兼顾教育领域的广泛性，在一些特色教育领域形成印度经验。比如，在大力发展正规学校教育的同时，印度还大力发展非正式教育系统，如初等教育阶段的非正式教育中心，中等教育阶段和高等教育阶段的开放中学、开放大学，这些非正式教育机构自成体系，既实施与各级正规学校互通的学历教育，也实施各种非学历教育。20世纪90年代公布的印度学制将其纳入其中，这在世界各国中并不多见，是印度教育的一大特色。民办机构、村级自治机构、非政府组织等积极参与非正式教育的治理，对普及义务教育产生了积极的补充作用。

另外还有附属学院的治理，印度附属学院经过一个半世纪的发展，虽暴

露出一些问题，但在治理方面也提供了一些经验：第一，在学院实现独立的过程中，暂时的附属是为了以后的独立，附属是一个发展的过程，独立才是发展的最终目标；第二，严格执行“一校一院”的基本原则，避免数量上的急剧膨胀；第三，给予自治学院更多的自主权，避免管理过死过严；第四，明确自治学院的管理主体和性质，明确分工，提高管理的民主化；第五，加强对自治学院的教学管理，提高教学和学术标准，改善教育质量。

四、教育治理信息化，提升治理水平

在实现多元主体“共治”的过程中，信息化手段为教育治理提供了技术支持，使政府、学校和来自社会的各主体相互支持协作，各部门的职能得以优化。面对政府及公共部门日益增长的改善管理、提高服务水平的需求，“E治理”即“电子治理”应运而生，它是信息技术在治理范畴内的应用，也是实现智能化治理的有效手段，其中“智能”指的是“简单、道德、负责、响应及透明”。印度政府高度关注“E治理”，将其视为信息技术面向大众的重要途径，充分利用信息技术使治理的业务成本降低、包容性更广并有助于对各项事务进行高效回应。印度政府已经在这方面采取了许多行动，“E治理”行动计划是印度所制订的多项长期计划之一，于2003—2007年间成功实施。具体到教育治理方面，印度也实施了多项教育“E治理”，如基础教育信息化方面Vidya Vahini项目，于2001年由政府和一个非政府组织“Shiksha India”合作发起，最初的目标是为印度的中小学配备充足的电子教学设备。项目逐渐深入到了农村及偏远地区，目前Shiksha与信息技术部、人力资源开发部合作进行CLASS计划，目标是在未来五年覆盖全国6万所学校，约2 000万学生。

第三节　对我国教育治理的启示

20世纪70年代，西方国家政府福利和“大政府”模式陷入危机，人们开始反思，建设小而强的政府，使其职能从划桨转向掌舵，这一治理思路得

到全球的认可。改革开放之后，中国政府面对国际和国内形势的巨大变化，加快对原有的政府职能和行政模式进行反思和调整。十八届三中全会指出：要“坚持系统治理，加强党委领导，发挥政府主导作用，鼓励和支持社会各方面参与，实现政府治理和社会自我调节、居民自治良性互动”。转变政府职能、扩大多方参与、多层次治理，提升政府治理能力，在未来相当长的时间内将成为我国政府改革的重要内容和重要任务。从治理的特征来看，其区与传统概念“管理”的本质区别，在强调脱离单一主体（政府）的单向性管理运作，转而走向多主体（政府、社会组织、个人等）合作共治的新路。作为重要的公共部门，教育必然也要融入这一改革大潮中，作为国家治理的有机组成部分，“教育治理”也遵循这一本质属性，“多元主体”“合作”“共治”成为其显著标志，同时，由于教育的自身特性，“教育治理”也要求合作共治的法治化、民主化和科学化。党的十九大报告提出“明确全面深化改革总目标是完善和发展中国特色社会主义制度、推进国家治理体系和治理能力现代化”，在这一背景下，必须加强作为国家公共事业重要组成部分的教育治理成为新时代改革发展的重要内容。同为发展中大国的金砖国家印度自1947年独立70多年来社会经济得到极大发展，其直接原因就在于教育先导，因此这些教育治理理念及实践方面的经验及教训值得我国思考与借鉴，可以助力破解我国教育治理所面临的热点、难点等发展问题。

一、依法治教，建构教育治理现代化法治路径

法治是治理的基础和保障，也可以说是治理的一种观念、一种方式。教育治理法治化是一个漫长演变与改革完善的过程，需要通过健全教育法律制度，不断增强其内在的权威性，将法治思维融入教育治理的问题中，而这些也恰好映射了我国教育治理法治化进程中面临的现实困境。对此，一些学者也进行了总结[①]：第一，教育法制不健全及权威性的缺失导致教育治理法制化进程先天不足。我国的教育法律制度建设自改革开放以来经历了从无到有的发展历程，至今已初步形成较为完整的教育法律体系，但整体而言，我国

① 陈亮，李惠．论教育治理法治化[J]. 高校教育管理，2016，10（4）：51-56.

的教育法制建设还未能满足教育改革需要，单从教育治理的角度来看，尚需要有针对性地制定相关的教育法律制度。第二，不够完善的教育治理结构导致教育治理法制化进程中主体缺位。我国教育公共治理一直是政府单向的管理，规范、成熟的市场机制和健全的社会组织的参与尚处于起步阶段，导致治理的结构相对脆弱。第三，外在社会法制观念淡薄，桎梏了教育治理法制化进程中效能的提高。

解决这些问题绝非一日之功，教育治理需要“随时而动”，因此教育法治也是一个动态过程，需要根据时代的发展、治理观念的变化不断调整，在这条改革道路上推进依法治教的脚步应永不停歇。依法治教指全部的教育活动都应当符合教育法律法规，核心是以法治思维和法治方式推进教育的改革与发展；根本方式是依法，依照法律法规，推进教育管理规范化、制度化、民主化。[①]依法治教是深化教育领域综合改革的重要保障，推进政校分开、管办分离，构建政府、学校、社会之间的新型关系，维护学校、教师、学生各方合法权益，不仅需要法律依据，而且迫切需要法治保障。十八届四中全会提出建设中国特色社会主义法治体系，建设社会主义法治国家的总目标，并提出由五大体系组成的中国特色社会主义法治体系，包括：形成完备的法律规范体系、高效的法治实施体系、严密的法治监督体系、有力的法治保障体系、形成完善的党内法规体系。只有建立了法治体系，静态的法律体系才能实现动态的法治化运行，逐步实现法治目标。同理，我国教育治理改革的关键就是需要建立健全法律规范体系，而这一体系必须包括法治实施体系、法治监督体系、法治保障体系，如此才能完全在法律框架的规范和指导下实现教育治理的法治化运行。

互联网技术及其应用的快速发展对教育治理机制提出了新的挑战，越来越多的在线教育、远程教育机构如雨后春笋般不断涌现，学校的组织形态和管理模式也呈现多样化，迫切要求有针对性地健全完善相关立法。此外，大数据时代一方面应加强教育数据的开放和共享，另一方面又需注意隐私保护和数据利用问题，要加强教育数据方面的立法，明确政府、教育部门在学生

① 罗伟其．加快提高教育治理法治化水平[N]．中国教育报，2015-04-27（4）．

信息、教育统计数据等教育数据使用中的权力和边界，为教育数据的采集、分析和运用提供规范。①

二、协调好中央和地方，集权与分权的关系

我国和印度在教育发展中存在诸多相似的问题，例如基础教育方面我国目前最突出的问题是相对较大的地域差别、城乡差别和阶层差别，综合来看，印度的经验对我国具有多方面启示意义。重要的启示之一就在于如何处理好中央和地方、集权与分权的关系。

印度的教育分权化是在《宪法》、两次《国家教育政策》及诸多相关政策文件的指导下逐步形成的。《行动计划》（1992）的成功颁布明确了印度教育分权的治理路径，之后印度教育的管理呈现出新局面。目前及未来印度教育行政改革的趋势也很明晰，多方“合作共治”是其必经之路，除了中央及各邦的合作，教育管理的权力将更多地分配到教学社区、村教育委员会、家长等群体手中，无论是地方基础教育和中等教育实施计划的制订还是对学校或学生学业成就的评价，这些多维的利益相关者都应该参与其中，建言献策，发挥其应有的作用。印度教育分权治理的实质就在于分配不同层级间的教育管理权力，在这点上我国的整体情况相反，集权大于分权，具体表现在学制学时、课程结构、考核评价、经费使用、职称晋升等教育管理的方方面面，总体格局是统得过多而灵活性不足，尤其是基础教育体现更甚。对比我国基础教育治理，从印度的经验和问题中还应该看到，一方面应该调动地方办学和投资教育的积极性，另一方面也认识到以地方投资为主的办学力量有其局限性，国家（或中央政府）对基础教育尤其是基础教育的投资进行宏观调控是非常必要的，缩小区域间教育发展差距必须加强国家（或中央政府）的宏观统筹。②因此在未来的改革中首先要继续保持国家宏观管理这一传统优势，在构建基础教育治理体系进程中，要在坚持政府统筹规划的基础上，

---

① 新时代，如何推动教育治理与教育法治[N]. 光明日报，2017-12-02（10）.

② 刘贤伟 . 印度以地区办学为主的基础教育政策之得与失[J]. 外国中小学教育，2007（9）：18-22.

建立多元主体共同参与教育治理的格局，坚持立法为先、分权为本、多元参与、强化保障、逐步推进的行动路径，[①]实现分权与集权的有效结合，形成以中央和地方各级政府为责任主体的多元教育治理结构，确保实现区域内教育的公平、质量、效益的统一。

三、教育需要“综合治理”

近年来，我国高度重视教育的发展，已将教育治理作为国家体制机制改革的重要战略。尽管我国教育治理改革大幕已经拉开，但还处于起步阶段，政府对教育的整体发展仍有强大的管制权力，其作用难以在短时间内发生实质改变。总体而言我国的教育治理目前还存在治理理念滞后、治理结构不平衡、治理方式单一、治理政策环境有待建设与优化、治理制度文化有待健全等问题。鉴于这些问题的复杂性和任务的艰巨性，统筹兼顾的教育“综合治理”势在必行。

“综合治理”，又称“协同治理”，指多元主体通过协商谈判等方式共同参与教育的治理，实现治理活动从无序向有序的转变。从治理主体的选择上看，“综合治理”是多元主体参与教育治理的必然选择；从治理方式来看，“综合治理”是多元主体参与教育治理的基本方式，强调多元主体的协同治理，反对“政府主导”的强制性管理，其基本要义是实现教育从“管理”向“治理”的转变，其主要表征是实现治理主体从“一元”向“多元”的转变，实现权力运行从“自上而下”单向度运行向“上下互动”多向度运行的转变，实现权力行使方式从中央集权向权力分权的转变，实现管理手段与方式从以强制性的行政和法律手段为主的制度性安排向以合同包工、权力分散、市场化运作原则为特征的非制度性安排的转变，实现活动目标与评价标准从“善政”向“善治”的转变，实现公共利益实现方式从一元、强制、垄断向多元、民主、协商的转变，最终实现政府、教育机构和其他社会力量

① 王正青，陈琴．美国联邦、州、地方三级基础教育治理体系与运行机制[J]．教育科学研究，2017（8）：72-77．

等多元主体协同参与下的教育治理。[①]同时要重视市场作用，注意积极运用市场机制，重新组合政府—市场—社会三种力量，三者力量的互动、均衡和制约共同搭建政府掌舵—市场作用—社会参与这一治理框架。

四、大力推动信息技术发展，推进教育治理信息化

当今教育管理的任何环节都有赖于信息技术的发展和信息的流通。我国教育信息管理的建设已取得初步进展，如果将其与各类教育机构、教育行政部门的教育体系相配合，并将其置于体系中，则此系统的功能会得到充分发挥。但是从目前的情况来看，各层面教育治理信息化的推进都存在各自为政的现象，各个主体的义务、权利不够清晰，也无法细分治理任务，且信息管理系统之间都独立存在，数据不能共享，缺乏权威性、连续性、统一性，加之数据采集方式、渠道不够专业，导致统计数据不准确，教育经费投入、使用透明化不够等多种问题，影响了整个教育治理的系统建设。因此，尽管我国应用于教育发展的技术不断革新，但离完全满足多元复杂的教育体系治理的需要还有差距，推动信息技术发展，推进教育治理信息化是当今及未来我国教育治理改革的重要方向。其中，主要任务是建设全国教育管理系统的安全支撑和公共技术平台，开发教育系统和全国信息核心系统业务，建设国家教育系统数据库，推动各级教育系统的公共服务、评估评价、监测监管、决策支持、业务管理等功能的广泛应用。

此外，大数据技术的深入应用，有助于教育管理部门更加精准地提供公众所需要的教育服务，更有助于政府部门服务者身份和掌舵者角色的发挥，因此如何在大数据时代利用信息技术加强教育治理也是重点之一。然而，目前我国教育治理相关数据共享仍面临诸多问题：首先，缺乏大数据应用的标准和制度，教育系统内存在着各类型的统计数据，但数据之间的转换、计量及应用等并没有一个权威性的标准和规范；其次，缺乏专门的法律法规，我国尚未出台对教育治理数据在内的各种大数据生产、使用、归属及共享等问题做出专门规定的法律；再者，还有信息安全问题，如何切实保护好各类数

---

① 赵学瑶．印度高职教育治理及启示[J]．教育与职业，2017（1）：42-48.

据也是教育治理能力建设过程中不容回避的问题。①

当前，我国应切实转变传统教育管理思想，建设稳定、完善的教育信息服务系统，加大教育信息化建设与应用基础数据的开放力度，积极探索政府、学校、企业、社会机构等共同参与教育治理进程，鼓励并重视第三方开展的教育信息化公共服务评估与监督，建立以中介评估为主导的多元化教育质量保障体系，在此基础上实现政府行为由集权模式到宏观指导模式的转变，并鼓励各学术团体、专业协会、民间组织等民间评估机构积极参与，使教育治理信息化落到实处。②

① 姚松．大数据与教育治理现代化:机遇、挑战与优化路径[J]．湖南师范大学教育科学学报，2016（2）：76-80.

② 张进宝，梁跃．教育治理现代化语境下教育信息化公共服务体系的重构[J]．中国电化教育，2016（4）：7-13.

参考文献

中文著作

[1] 弗兰克尔著．孙培钧，梅之，刘创源，等，译．印度独立后政治经济发展史[M]．北京：中国社会科学出版社，1989.

[2] 佐佐木教悟，高崎直道，井野口泰淳．杨曾文，姚长寿译．印度佛教史概说[M]. 上海：复旦大学出版社，1989.

[3] D. D. 高善必著．王树英，王维，练性乾，等，译．印度古代文化与文明史纲[M]. 北京：商务印书馆，1998.

[4] R. C. 马宗达、H.C. 赖乔杜里，卡利金卡尔·达塔合著．张澍霖、夏炎德、刘继兴，等，合译．高级印度史[M]. 北京：商务印书馆，1986.

[5] R. 塔帕尔著．林太译．印度古代文明[M]. 杭州：浙江人民出版社，1990.

[6] 查尔斯·埃利奥特著．李荣熙译．印度教与佛教史纲：第一卷[M]. 北京：商务印书馆，1982.

[7] 麦唐纳著．龙章译．印度文化史[M]. 上海：上海文化出版社，1989.

[8] 渥德尔著．王世安译．印度佛教史[M]. 北京：商务印书馆，1987.

[9] 巴巴拉 • 伯恩等著．上海师范大学外国教育研究室译．九国高等教育[M]. 上海：上海人民出版社，1973.

[10] 阿什比著．滕大春，滕大生，译．科技发达时代的大学教育[M]. 北京：人民教育出版社，1983.

[11] 尚会鹏．印度文化史[M]. 杭州：浙江大学出版社，2016.

[12] 安双宏．印度高等教育：问题与动态[M]. 哈尔滨：黑龙江教育出版社，2001.

[13] 阿马蒂亚·森，让·德雷兹著．黄飞君译．印度：经济发展与社会机会[M]. 北京：社会科学文献出版社，2006.

[14] 阿马蒂亚·森著．刘建译．惯于争鸣的印度人：印度人的历史、文化与身份论集[M]. 上海：上海三联书店，2007.

[15] 埃德蒙·金著．杭州大学教育系外国教育研究室译．印度教育[M]. 杭州：杭州大学出版社，1983.

[16] 曹孚．外国教育史[M]. 北京：人民教育出版社，1979.

[17] 陈佛松．印度社会中的种姓制度[M]. 北京：商务印书馆，1983.

[18] 西代锡，陈晓红著．失落的文明：古印度[M]. 上海：华东师范大学出版社，2003.

[19] 陈平原．中国大学十讲[M]. 上海：复旦大学出版社，2002.

[20] 崔连仲．从佛陀到阿育王[M]. 沈阳：辽宁大学出版社，1991.

[21] 戴维·史密斯著．丁德良译．龙象之争：中国、印度与世界新秩序[M]. 北京：当代中国出版社．2007.

[22] 丁学良．什么是世界一流大学？[M]. 北京：北京大学出版社，2004.

[23] 方广锠．渊源与流变：印度初期佛教研究[M]. 北京：中国社会科学出版社，2004.

[24] 布罗代尔著．顾良，施康强译．15—18 世纪的物质文明、经济和资本主义．[M]. 北京：三联书店，1992.

[25] 郝新生．比较职业教育[M]. 延吉：延边大学出版社，1987.

[26] 贺国庆等．外国高等教育史[M]. 北京：人民教育出版社，2003.

[27] 黄福涛．外国高等教育史[M]. 上海：上海教育出版社，2003.

[28] 黄硕风．大国较量：世界主要国家综合国力国际比较[M]. 北京：世界知识出版社．2006.

[29] 蒋建白．印度教育概览[M]. 重庆：商务印书馆，1946.

[30] 金耀基．大学之理念[M]. 北京：三联书店，2001.

[31] 瞿葆奎主编，赵中建等选编．教育学文集—印度、埃及、巴西教育改革[M]. 北京：人民教育出版社，1991.

[32] 康内尔著．张法琨，方能达，李乐天，等，译．二十世纪世界教育史[M]. 北京：人民教育出版社，1990.

[33] 李兆乾．德里大学[M]. 长沙：湖南教育出版社，1993.

[34] 林承节．印度独立后的政治经济社会发展史[M]. 北京：昆仑出版社，2003.

[35] 林承节．印度古代史纲[M]. 北京：光明日报出版社，2000.

[36] 林承节．印度近现代史[M]. 北京：北京大学出版社，1995.

[37] 林承节．印度史[M]. 北京：人民出版社，2004.

[38] 林承节 . 殖民统治时期的印度史[M]. 北京：北京大学出版社，2004.
[39] 刘国楠，王树英 . 印度各邦历史文化[M]. 北京：中国社会科学出版社，1982.
[40] 刘欣如 . 印度古代社会史[M]. 北京，中国社会科学院出版社，1990.
[41] 刘新科 . 国外教育发展史纲[M]. 北京：中国社会科学出版社，2002.
[42] 罗炳之 . 外国教育史[M]. 南京：江苏人民出版社，1981.
[43] 马骥雄 . 外国教育史略[M]. 北京：人民教育出版社，1991.
[44] 马加力 . 当今印度教育概览[M]. 郑州：河南教育出版社，1994.
[45] 欧东明 . 佛地梵天：印度宗教文明[M]. 成都：四川人民出版社，2002.
[46] 培伦主编 . 印度通史[M]. 哈尔滨：黑龙江人民出版社，1990.
[47] 邱永辉，欧东明 . 印度世俗化研究[M]. 成都：巴蜀书社，2003.
[48] 人民教育出版社外国教育丛书编辑组编 . 二十国教育概况 [M] . 北京：人民教育出版社，1981.
[49] 瑞士国际管理发展学院编著 . 姚俊梅译 . IMD 世界竞争力年鉴[M]. 北京：中国财政经济出版社，2002.
[50] 尚会鹏 . 印度文化传统研究：比较文化的视野[M]. 北京：北京大学出版社，2004.
[51] 尚会鹏 . 种姓与印度教社会[M]. 北京：北京大学出版社，2016.
[52] 尚劝余 . 莫卧儿帝国[M]. 西安：三秦出版社，2001.
[53] 尚劝余 . 尼赫鲁研究[M]. 成都：四川人民出版社，1986.
[54] 孙培均，华碧云 . 印度国情与综合国力[M]. 北京：中国城市出版社，2001.
[55] 孙士海，葛维钧 . 印度[M]. 北京：社会科学文献出版社，2003.
[56] 孙士海 . 印度的发展及其对外战略[M]. 北京：中国社会科学出版社 2000.
[57] 滕大春 . 外国近代教育史[M]. 北京：人民教育出版社，2002.
[58] 滕大春 . 外国教育通史第五卷[M]. 济南：山东教育出版社，1993.
[59] 王长纯 . 印度教育[M]. 长春：吉林教育出版社，2000.
[60] 王天一，夏之莲，朱美玉 . 外国教育史[M]. 北京：北京师范大学出版社，1993.
[61] 吴式颖、姜文闵 . 外国教育史话[M]. 南京：江苏人民出版社，1982.
[62] 吴式颖 . 外国现代教育史[M]. 北京：人民教育出版社，1997.
[63] 吴式颖 . 外国教育史简编[M]. 北京：教育科学出版社，1988.
[64] 夏之莲 . 外国教育发展史料选粹[M]. 北京：北京师范大学出版社，1999.

[65] 杨德广，王一鸣 . 世界教育兴邦与教育改革[M]. 上海：同济大学出版社 1990.

[66] 杨东平 . 大学精神[M]. 上海：文汇出版社，2003.

[67] 杨东平 . 大学之道[M]. 上海：文汇出版社，2003.

[68] 袁锐锷 . 新编外国教育史纲[M]. 广州：广东高等教育出版社，2005.

[69] 曾向东 . 印度现代高等教育[M]. 成都：四川大学出版社，1987.

[70] 詹尼·索弗里 . 李阳译 . 甘地与印度[M]. 北京：三联书店，2006.

[71] 张双鼓，薛克翘，张敏秋 . 印度科技与教育发展[M]. 北京：人民教育出版社，2003.

[72] 张维迎 . 大学的逻辑[M]. 北京：北京大学出版社，2004.

[73] 赵伯乐 . 永恒涅槃：古印度文明探秘[M]. 昆明：云南人民出版社，1999.

[74] 赵鸣歧 . 印度之路：印度工业化道路探析[M]. 上海：学林出版社，2005.

[75] 赵祥麟 . 外国现代教育史[M]. 上海：华东师范大学出版社，1987.

[76] 赵中建 . 战后印度教育研究[M]. 南昌：江西教育出版社，1992.

[77] 郑瑞祥 . 印度的崛起与中印关系[M]. 北京：当代世界出版社 . 2006.

[78] 朱明忠，尚会鹏 . 印度教：宗教与社会[M]. 北京：世界知识出版社，2003.

[79] 左学金等主编 . 龙象共舞——对中国和印度两个复兴大国的比较研究[M]. 上海：上海社会科学院出版社，2007.

中文期刊论文

[1] 彭慧敏. 印度高等工程技术教育改革的经验、问题与启示[J]. 复旦教育论坛，2008（2）.

[2] 冯若霓 . 印度的职业技术教育[J]. 外国教育动态，1980（4）.

[3] 曲恒昌 . 印度职业技术教育的发展及其经验教训[J]. 外国教育动态，1989（4）.

[4] 王明伦 . 印度职业教育的现状与发展[J]. 外国教育动态，1991（3）.

[5] 孙新泉 . 印度职业教育的体制及发展现状[J]. 世界教育信息，2006（2）.

[6] 彭慧敏 . 印度职业教育现状及发展动因[J]. 职业技术教育，2007（4）.

[7] A·斯米尔诺夫，张捷 . 印度教育发展状况[J]. 国外社会科学，1982（10）.

[8] [美]Gary Gereffi，Vivek Wadhwa，Ben Rissing，Ryan Ong，孙琪、王景枝译 . 美、中、

印工程教育质量与数量的实证分析[J]. 高等工程教育研究，2009（4）.
[9] “德、法工程师文凭”教育研究课题组 . 法国高等工程教育的培养规格及指导思想[J]. 职业技术教育研究，2004（4）.
[10] R. 阿诺维，刘霓 . 中国和印度教育制度的比较[J]. 国外社会科学，1985（4）.
[11] 安双宏 . 结构完善的印度开放教育系统[J]. 开放教育研究，1996（1）.
[12] 安双宏 . 近期印度高等教育发展趋势——兼析私立高等教育发展迅速之缘由[J]. 全球教育展望，2009（2）.
[13] 安双宏 . 论印度大学考试制度的弊端[J]. 比较教育研究，2004（6）.
[14] 安双宏 . 论印度普通大学内部管理的特色[J]. 比较教育研究，2005（8）.
[15] 安双宏 . 印度大学拨款委员会及其对我们的借鉴意义[J]. 比较教育研究，2003（12）.
[16] 安双宏 . 印度高等教育优待弱势群体保留权政策研究[J]. 比较教育研究，2016（4）.
[17] 安双宏 . 印度高等教育的经费紧缺及其对策[J]. 外国教育研究，2001（3）.
[18] 安双宏 . 印度高等教育规模快速扩充的后果及其启示[J]. 教育研究，2000（8）.
[19] 安双宏 . 印度高等院校中的双语教学问题及其启示[J]. 比较教育研究，2007（3）.
[20] 安双宏 . 印度高科技人才的摇篮——谈印度理工学院的体制创新[J]. 中国高等教育，2000（22）.
[21] 安双宏 . 印度高校教师的工作量与工资待遇[J]. 南亚研究季刊，2002（3）.
[22] 安双宏 . 印度高校教师的任用与晋升[J]. 黑龙江高教研究，2002（3）.
[23] 安双宏 . 印度国立开放大学的发展及其启示[J]. 比较教育研究，2007（12）.
[24] 安双宏 . 印度基础教育发展热点问题评析[J]. 教育发展研究，2010（4）.
[25] 安双宏 . 印度科技人才的培养机制探析[J]. 比较教育研究，2010（5）.
[26] 安双宏 . 印度落后阶级受高等教育的机会[J]. 外国教育研究，2001（3）.
[27] 安双宏 . 印度女性接受高等教育的机会[J]. 比较教育研究，2001（7）.
[28] 安双宏 . 印度信息技术人才培养的经验与不足[J]. 比较教育研究，2007（3）.
[29] 安双宏 . 印度政府对高等教育的管理[J]. 比较教育研究，2006（8）.
[30] 安双宏 . 影响印度高等教育质量的几个因素[J]. 江苏高教，2000（4）.
[31] 安双宏 . 中印高教收费和学生资助的比较研究[J]. 全球教育展望，1995（5）.
[32] 安双宏，史亿南 . 评印度 2020 年教育愿景中的宏伟目标[J]. 比较教育研究，2013（3）.

[33] 高子平 . 印度软件人才队伍建设的经验与启示[J]. 南亚研究季刊，2009（2）.
[34] 关松林 . 古代印度教育述论[J]. 教育评论，1990（4）.
[35] 郭斌，张晓鹏 . 印度高等教育评估与鉴定新方法的特点及启示[J]. 现代教育科学，2008（5）.
[36] 韩骅 . 挣扎前行的印度师范教育[J]. 比较教育研究，1995（2）.
[37] 胡凤 . 印度高等教育大发展的原因与得失[J]. 安徽大学学报，2001（5）.
[38] 孔令帅 . 教育均衡发展与政府责任——试论印度政府在基础教育均衡发展中的作用[J]. 比较教育研究，2010（5）.
[39] 李建忠 . 印度高校内部人力资源配置和管理[J]. 比较教育研究，2001（12）.
[40] 李健伟 . 当代印度基础师范教育[J]. 课程 . 教材 . 教法，1994（12）.
[41] 李云霞，汪继福. 印度高等教育跨越式发展的动因及影响[J]. 外国教育研究，2006(11).
[42] 刘亚敏. 规模与质量：印度高等教育发展问题及其对我国的启示[J]. 云南教育，2001（25）.
[43] 马骥雄 . 古代印度的教育[J]. 杭州大学学报（哲学社会科学版），1985（2）.
[44] 钮维敢，钟震. 试论印度现代高等教育发展与知识经济崛起[J]. 南亚研究季刊，2010（2）.
[45] 钮维敢 . 论印度高等教育在科技方面的外向开拓 [J]. 南亚研究季刊，2005（3）.
[46] 戚兴宇，谢娅 . 印度政府与大学的关系及启示[J]. 南亚研究季刊，2010（2）.
[47] 宋秀琚 . 印度农村基础教育服务及其启示[J]. 外国教育研究，2008（5）.
[48] 孙健，王沛民 . 基于资源观的大学发展战略初探——以印度理工学院为例[J]. 高等工程教育研究，2008（3）.
[49] 万晓玲等 . 印度高校毕业生就业状况评估及启示[J]. 比较教育研究，2006（2）.
[50] 王伟龙 . 独立后印度大学科研发展的回顾与分析[J]. 高等教育研究，1992（2）.
[51] 王晓丹 . 印度妇女与教育[J]. 南亚研究，1994（4）.
[52] 徐辉 . 印度普及高中教育政策及其价值取向[J]. 中国教育学刊，2007（5）.
[53] 许立新 . 印度教师教育的课程变迁、理论研究与现实挑战[J]. 外国教育研究，2009（10）.
[54] 薛蕴茹 . 试论影响印度软件产业发展的市场环境因素[J]. 南亚研究季刊，2005（3）.
[55] 阎凤桥等 . 在全球和知识经济背景下，印度高等教育对经济增长的贡献[J]. 北大教育

经济研究（电子季刊），2008（1）.

[56] 杨洪．试析印度高等教育经费筹措模式[J]. 贵州教育学院学报，2001（1）.

[57] 杨伟．GATS 给印度教育带来的忧虑及印度的对策[J]. 比较教育研究，2002（12）.

[58] 易红郡，王晨曦．印度高等教育发展中的问题、对策及启示[J]. 清华大学教育研究，2002（5）.

[59] 张国忠．今日印度教育的特殊政策[J]. 外国教育研究，1988（3）.

[60] 张娟娟．印度高等教育的扩张[J]. 比较教育研究，2002（2）.

[61] 张立艳．印度大学创业教育的缘起与发展特色[J]. 教育评论，2005（3）.

[62] 张世辉．印度基础教育课程改革的特点及启示[J]. 中国民族教育，2009（11）.

[63] 张媛．为了更加公平的教育：由印度的基础教育改革历程着眼[J]. 外国教育研究，2008（5）.

[64] 赵中建．结构完善的印度开放教育系统[J]. 开放教育研究，1996（1）.

[65] 郑勤华．印度的高等教育扩展与知识失业[J]. 教育与经济，2005（8）.

[66] 郑信哲．印度政府对表列种姓表列部落的特殊教育政策[J]. 世界民族，1998（2）.

[67] 周采．印度高等教育发展及其启示[J]. 南京师范大学学报（社会科学版），2008（2）.

[68] 朱勃．印度教育见闻[J]. 外国教育，1980（3）.

[69] 邹宏如，敖洁，李铁明．印度科技人才培养及其启示[J]. 贵州大学学报（社会科学版），2006（4）.

外文文献

[1] A. Biswas，S. P. Agrawal. Development of education in India：A Historical Survey of Educational Documents before and after Independence[M]. New Delhi：Concept Publishing Company，1986.

[2] A. Basham. Culture History of India[M]. New York：Oxford University press，1999.

[3] A. P. Sharma. Contemporary Problems of Education：with Special Reference to India[M]. New Delhi：Vikas Publishing House Pvt. Ltd，1986.

[4] A. Varge. University Research and Regional Innovation： a Spatial Econometric Analysis of Academic Technology Transfers[M]. Boston，MA：Kluwer Academic Publishers，1998.

[5] Aggarwal，J. C. Recent developments and trends in education：with special reference to India[M]. New Delhi：Shipra Publications，2009.

[6] Aggarwal，J. C. Education policy in india：1992 and review 2000 and 2005，[M]. Delhi：Shipra Publications，2009.

[7] Altbach，Philip G. Chitnis，Suma. Higher Education Reform in India[M]. New Delhi：Sage Publications，1993.

[8] Anil Kumar Thakur，Md. Abdus Salam. Economics of education and health in India[M]. New Delhi：Deep & Deep Publications，2008.

[9] Anthony P. D'costa. Exports，University-Industry Linkages，and Innovation Challenges in Bangalore，India[R]. World Bank，Washington D.C.，2006.

[10] Apama Basu，Essays in the History of Indian Education[M]. New Delhi：Concept Publishing Company，1982.

[11] Ashish Arora，Jai Asundi. Quality Certification And The Economics of Contract Software Development：A Study of the Indian Software Indutry[R]. Massachusett：NATIONAL BUREAU OF ECONOMIC RESEARCH Working Paper 1999.

[12] Azad，J. L. Financing and management of higher education in India：the role of the private sector[M]. Gyan Publishing House，2008.

[13] Burton R Clark. Sustaining Change in Universities：Continuities in Case Studies and Concepts[M]. Society for Research into Higher Education & Open University Press，2004.

[14] Chatterjee，Partha et. al. Social Science Research Capacity in South Asia[R]. New York：SSRC，2002.

[15] Chitrangada Singh. National Policy on Education[M]. New Delhi：Dominant Publishers And Distributors，2005.

[16] Clark Kerr. The Uses of the University[M]. Harvard University Press，1963.

[17] Dutz，Mark A. Unleashing India's lnnovation：Toward Sustainable and Inclusive Growth[R]. Washington D.C.：World Bank，2007.

[18] Gautam Biswas，K. L. Chopra，C. SJha，D. V. Singh. Profile of Engineering Education in India-Status，Concerns and Recommendations[M]. New Dehli：Narosa Publishing House，2010.

[19] Geeta Kingdon，Mohd. Muzammil. The political economy of education in India：teacher politics in Uttar Pradesh[M]. New York：Oxford University Press，2003.

[20] Ghanshyam. Thakur. Challenges and Problems of Management and Administration of Higher Education in India[M]. New Delhi：Sanjay Prakashan，2006.

[21] Gibb，Allan. Towards the Entrepreneurial University：Entrepreneurship Education as a Lever for Change[R]. UK：National Council for Graduate Entrepreneurship，2005.

[22] Gupta，Asha. Looking Beyond Universities；A Political Economic Analysis[A]. Bernd Baumgartl；Jochen Fried and Anna Glass(eds)，From Here to There：Mileposts in Higher Education[C]. Austria：Navreme Knowledge Development. 2007.

[23] H. S. Singha. School education in India：contemporary issues and trends[M]. New Delhi：Sterling Publishers，1991.

[24] Hans Nagpaul. Culture，Education and Social Welfare；Need for Indigenous Foundations[M]. New Delhi：S. Chand & Company Ltd，1980.

[25] Jagannath Mohanty. Dynamics of higher education in India[M]. New Delhi：Deep & Deep Publications，1993.

[26] Jayaram N. Higher Education in India；Massification and Change. Philip G. Altbach P. & Umakoshi，T. (ed.) Asian Universities：Historical Perspective and Contemporary Challenges[M]. Baltimore & London：The Johns Hookins Univereity Press.，2004.

[27] K Venkata Reddy. New Directions in Higher Education in India[M]. New Delhi：Creative Books，1996.

[28] Kapur. Devesh，Pratap B. Mehta. Indian Higher Education Reform：From Half-Baked Socialism to Half-Baked Capitalism[R]. New Delhi：the Brookings-NCAER India Policy Forum，2007.

[29] Erric Ashby. Universities：British. lndian. African：A study in the Ecology of Higher Education[M]. London：The Weidenfeld and Nicolson Press，1966.

[30] M. Pinto. Federalism and Higher Education：The Indian Experience[M]. Bombayl Orient

Longman，1984.

[31] Shahnaz Suri. American influence on higher education in India：a study of post-independence era[M]. New Delhi：Sterling，1979.

[32] M. Giri. Centre-State Relations in Higher Education[M]. New Delhi：Northern Book Centre，1992.

[33] Mar mar Mukhopadhyay，Madhu Parhar. Education in India：dynamics of development[M]. Delhi：Shipra Publications，2007.

[34] Meenu Agrawal. Education in third world and India：a development perspective[M]. New Delhi：kanishka publishing house，Distributors，2009.

[35] Mishra，Sharda. UGC and higher education system in India[M]. Book Enclave，Jaipur，2006.

[36] Moonis Raza，Nirmal Malhotra. Higher education in India：a comprehensive bibliography[M]. New Delhi：Concept Publishing Company，1991.

[37] Murali Patibandla，Rafiq Dossani. Prepating for a services economy：an evaluation of higher education in India[R]. Boston：Annual Conference of Industry Studies. 2008.

[38] N. Jayapalan，History of Education in India[M]. New Delhi：Altantic Publishers And Distributors，2005.

[39] Naushad Forbes. Higher Education，Scientific Research and Industry：Reflections on Priorities for India (Prepared for Conference on India's Economic ReformsCenter for Research on Economic Development and Policy Reform) [R]. Science，Technology and Society，Stanford University，2003.

[40] OECD. Benchmarking industry-science relationship[M]. Paris：Organization for Economic Co-operation and Development. 2002.

[41] OECD：National Innovation Systems[R]. Paris. 1997.

[42] P.D. Shukla. Towards the new pattern of education in India[M]，New Delhi：Sterling，1987.

[43] Partha Mukhopadhyay，Rakesh Basant. An Arrested Virtuous Circle?Higher Education and High-Tech Industry in India[R]. Cape Town：Annual Bank Conference on Development Economics. 2008.

[44] Pawan Agarwal. Higher Education in India：The Need for Change[R]. New Delhi：ICRIER (India Council for Research on International Economic Relations)，2006.

[45] Pawan Agarwal. Indian Higher Education[M]. New Delhi：SAGE Publications India Pvt Ltd，2009.

[46] R. K. Pruthi. Education in Modem India[M]. New Delhi：Sonali Publications. 2005.

[47] Rakesh Basant，Pankaj Chandra. Role of Educotionol and R&D Institutions in City Clusters：An Exploratory Study of Bongolore and Pune Regions in India[R]. Ahmedabad：Indian Institute of Management，2006.

[48] Ramnath Sharma，Rajendra K. Sharma. History of education in India[M]. New Delhi：Atlantic Publishers and distributors，1996.

[49] Ramachandran. Problems of higher education in India：a case study [M]. Delhi：Mittal Publications，1987.

[50] Rangan Banerjee，Vinayak P.Muley. Engineering Education in India[R]. Powai，Mumbai，Observer Research Foundation，2008.

[51] S. K. Gupta. Career education in India：the institutes of higher learning[M]. New Delhi：Mittal Publications，1994.

[52] S. K. Kochhar. Pivotal Issues in Indian Education[M]. New Delhi：Sterling Publishers Private Limited，1984.

[53] Sharma，YashpaL Challenges and problems in financing higher education in India[M]. New Delhi：Sanjay Prakashan，2004.

[54] Singh，Vachan. Development of education in India[M]. New Delhi：Akansha Publishing House，2005.

[55] Nirmala Sharma Vanita Singh：Development of higher Education in India[M]. New Delhi：Alpha Publications，2008.

[56] Singh，Amrik. Fifty years of higher education in India：the role of the university grants commission[M]. New Delhi：Sage Publications，2004.

[57] V C. Kulandai Swamy. Higher Education in India：Crisis in Management[M]. New Delhi：Viva Books，2010.

[58] Vashist，S. R.，Sharma，Ravi P. History of education [M]. New Delhi：Radha

Publications，1997.

[59] Ved Prakash. School education in rural India[M]. New Delhi：Mittal Publications，1993.

[60] Yogendra K. Sharma. History and Problems of Education[M]. New Delhi：Kanishka Publishers，2001.

[61] Clive Whitehead. The Historiography of British Imperial Education Policy，PartI：India，History of Educatioin，2005(34)：3，315-329.

[62] J. B. G. Tilak，The Dilemma of Reforms in Financing Higher Education in India[J]. Higher Education Policy，1997(10)：1，7-21.

[63] Kamna Solanki，Sandeep Dalai，Vishal Bharti. Software Engineering Education and Research in India-A Survey[J]. International Journal of Engineering Studies，2009(3)：181-192.

[64] Sanjay Goel. Competency Focused Engineering Education with Reference to IT Related Disciplines：Is the Indian System Ready for Transformation?[J]. Journal of Information Technology Education，2006(5)：27-52.

译名对照

《1904年印度大学法》 （Indian Universities Act of 1904）

A

埃尔芬斯通 （Mountstuart Elphinstone）

B

本廷克 （William Bentick）

表列部落 （Scheduled Tribes）

表列种姓 （Scheduled Castes）

布拉罕协会 （Pratham）

部落事务部 （Ministry of Tribal Affairs）

D

《大学拨款委员会法》 （University Grants Commission Act）

大学拨款委员会 （University Grants Commission）

邓肯 （Jonathan Duncan）

达尔豪斯 （Lord Dalhousie）

F

附属学院 （Affiliated Colleges）

G

格雷 （Grey，C. G.）

工业委员会报告 （Industries Commission Report）

公共教育总会 （General Committee of Public Education）

国家大学排名框架 （National Institutes Ranking Framework）

国家教育研究所 （National Institute of Education）
《国家教育政策》 （The National Education Policy）
国家评估与认证委员会 （National Assessment and Accreditation Council）
国家职业教育资格框架 （National Vocational Education Qualifications Framework）

H

哈托格报告 （Hartog Report）
《行动计划》 （The Program of Action）
黑斯廷斯 （Warren Hastings）

K

寇松 （George Curzon）

M

穆迪曼报告 （Muddiman Report）

N

尼赫鲁 （Jawaharlal Nehru）

Q

全国教师教育委员会 （National Council for Teacher Education）
全国教育研究与培训委员会 （National Council of Educational Research and Training, NCERT）
全国学校教育委员会 （The National Board of Education）

R

人力资源开发部 （Ministry of Human Resource Development）

S

萨德勒报告 （Sadler Report）
社会公正与赋权部 （Ministry of Social Justice and Empowerment）

T

汤姆逊 （James Thomson）

W

《伍德教育急件》 （Wood's Despatch）

X

西蒙报告 （Simon Report）

新德里 （New Delhi）

Y

印度大学联合会 （Association of Indian Universities）

印度大学委员会 （Indian Universities Commission）

印度共和国 （The Republic of India）

印度技术教育理事会 （All India Council for Technical Education）

印度教育委员会 （Indian Education Commission）

印度农业研究委员会 （Indian Council of Agricultural Research）

印度社会科学研究委员会 （Indian Council of Social Science Research）

印度社区教育研究中心 （Indian Center for Research and Development of Community Education，ICRDCE）

印度医学委员会 （Medical Council of India）

印度医学研究委员会 （Indian Council of Medical Research）

《印度政府法》 （The Government of India Act）

Z

中央教育技术研究所 （Central Institute of Education Technology）

中央教育咨询理事会 （Central Advisory Board of Education）

后　记

印度，与我国虽然是邻国，但我们所感受到的心理距离似乎又是那么遥远。印度，作为世界上与我国国情最为相似的国家，都是具有悠久传统文化的文明古国，近代都为西方资本主义国家所奴役（印度是殖民地，我国是半殖民地），第二次世界大战后新政权成立的时间相差无几（印度共和国1947年独立，中华人民共和国1949年宣告成立），都是人口大国，都是努力走向现代化的发展中国家。因此，印度极具研究价值。惜乎，我国比较教育学界对印度的关注一直都不足。希望本书的出版能够为学界增添一抹色彩。

本书的撰写直接源于周洪宇教授和湖北教育出版社的信任和支持。2015年11月，周洪宇教授询问我是否有意参加他主编的“全球教育治理研究丛书”的编写工作，我欣然答应，随后被委以副主编之职，具体负责邀请丛书作者、审阅丛书书稿以及联络出版社等各项事宜并承担“印度教育治理研究”卷的写作任务。本丛书初稿拟定后，得到了业界的认可，获得了2017年度国家出版基金资助。

撰写本书其实亦是我不忘初心的结果。任何事情都是有迹可循的，记得在2002年从北京师范大学博士毕业刚刚到华中师范大学教育学院工作之初，我就服从学院的安排从事比较教育学的教学与研究工作。由于我研究生阶段所学专业为中国教育史，于是，面临着重新学习的任务。第一学期，我一课不落地全程听取了方彤老师为本科生开设的“比较教育学”课程。到底如何做比较教育研究呢？在国别教育的选择上，我记得当时就有意选择印度为重点研究对象。可是由于当时的互联网还不是那么发达，获取资料并不容易，加之本人尚未完全入门比较教育，并没有完全认识到印度教育研究的重要性，就放弃了印度，转而选择了澳大利亚。之后随着时间的推移，我发现澳大利亚虽然是大洋洲的主要代表性国家，但其教育制度多源于英国，并无太多独特之处，在国际上也没有太大的影响力，因而失去了对其进行重点研究的兴趣。一个兴趣的丧失必然伴随着另外一个关注点的到来。2013年人民教育出版社委托杨汉清教授主持修订《比较教育学》（即第三版《比较教育学》，人民教育出版社2015年正式出版），我担任副主编并负责各种具体事务。作为副主编，我负责修改国别教育部分的章节，在修改“印度教育”部分时，研究印度教育的夙愿又被唤醒。此后，我就决定在国别教育方面把印度教育作为主攻方向。

从事印度教育研究让我收获良多。一是获批相关课题，2018年我主持的“印度高等技术教育发展研究”获批国家社科基金后期资助项目，这是我大学任教以来的第一个国家级课题；受邀作为子课题“南亚教育体系研究”负责人参与刘宝存教授为首席专家的2019年度教育部哲学社会科学研究重大课题攻关项目“‘一带一路’国家与区域教育体系研究”；分别获得2018年度、2019年度中央高校基本科研业务费资助项目。二是分别在《大学教育科学》《华中师范大学学报》等刊物上发表了近十篇印度教育方面的学术论文。三是培养了印度教育研究的后备力量，2015级、2017级硕士生各有2名选择了印度教育方面的题目作为毕业论文；2017级、2018级2位博士生都有意选择印度教育方面的题目为博士论文的选题。四是获得加入专门进行印度研究机构的机会，2017年受邀加入教育部国别和区域研究基地（培育）华中师范大学印度研究中心，作为研究员参与该中心的活动。五是著作的出版，正是由于前期的积累，我才有勇气承担本书编写工作，此外，我还受邀参与了北京师范大学杨明全教授主编的《当代印度教育改革》书稿的写作。

本书的写作，我指导的研究生也积极参与，赵鹤、舒昊、单丽敏、武炎吉、杨丽华分别撰写了第三章、第四章、第五章、第六章、第七章的初稿，赵鹤协助初稿的整理，钱隽至、李琪琪对全书进行了仔细的校对。对他们的辛勤劳动，在此深表感谢！

本书的完成，特别要感谢周洪宇教授，我一直感怀自我来华师工作以来周洪宇教授给予的无私支持和帮助，当下同样十分感谢周老师提供的宝贵的学习和研究机会。还要感谢湖北教育出版社的领导和编辑对这套丛书的关心和支持。

本书在写作过程中参阅了印度、中国多位学者的研究成果，在此表示真诚的感谢！当然，由于专门从事印度教育研究的时间不长，也由于本人的学术水平有限，本书肯定还存在疏漏乃至错误之处，恳请读者不吝批评指正！（本人电子邮箱：wangjl@mail.ccnu.edu.cn）

王建梁

2019年6月8日

于武汉三木书斋